REQUEST FORM

PRENTICE HALL JUNTOS DOS

COMPUTER TEST BANK

There are two ways to request your **FREE** Computer Test Bank package:

1. Tear out and mail in this completed form to the address on the reverse side. The postage has been paid for you.

-OR-

2. FAX your request to 1-614-771-7365. If you wish to receive confirmation, please include your FAX number: ______________________

You will receive the Computer Test Bank booklet and software that you requested **free of charge**. Please check only ONE type of disk.

Code 080

ITEM# (ISBN)	DESCRIPTION	CHECK HERE
0-13-427378-8	Macintosh 3 1/2-inch Disks (User's Guide included)	☐
0-13-427402-4	IBM-Windows 3 1/2-inch Disks (User's Guide included)	☐

SHIP TO:

ATTN: Computer Test Banks

NO POSTAGE
NECESSARY
IF MAILED
IN THE
UNITED STATES

BUSINESS REPLY MAIL
FIRST-CLASS MAIL PERMIT NO. 1009 COLUMBUS, OH

POSTAGE WILL BE PAID BY ADDRESSEE

PRENTICE HALL
School Division of Simon & Schuster
4350 Equity Drive
P.O. Box 2649
Columbus, OH 43272-4480

NOW BOTH OPTIONS ARE YOURS!

With the Prentice Hall Computer Test Bank you get:

TEST BANK with DIAL-A-TEST™ SERVICE and SOFTWARE (Order form enclosed)

(For use on IBM-Windows and Macintosh)

Use both our free phone-in service and the easy-to-use software to create customized tests.

COMPUTER TEST BANK

PRENTICE HALL
JUNTOS
DOS

Prentice Hall
Upper Saddle River, New Jersey
Needham, Massachusetts

COMPUTER TEST BANK

PRENTICE HALL JUNTOS DOS

Printed in the United States of America.

ISBN 0-13-427436-9

1 2 3 4 5 6 7 8 9 10 00 99 98 97 96

PRENTICE HALL
Simon & Schuster Education Group
A VIACOM COMPANY

Contents

About the Computer Test Bank

The *Computer Test Bank* for *Prentice Hall Juntos Dos* gives you unparalleled flexibility in creating tests. You can design tests to reflect your particular teaching emphasis. You can use the *Computer Test Bank* to create tests for different classes or to create alternative forms of the same test. You can also create tests for one chapter or for any combination of chapters, as well as for unit, midterm, and final examinations.

QUESTION ORGANIZATION

Chapter Test Questions The *Computer Test Bank* provides printed Chapter Test Questions for all 12 chapters, including multiple choice and short-answer questions.

Part I- Ten illustrations to be matched with ten descriptions to test students' reading skills.

Part II- Four Oral Proficiency situations offer teachers a strategy for evaluating students' proficiency in an informal activity.

Part III- The Reading section is designed to improve the students' reading fluency and speed, and to enhance their appreciation for and pride in the beauty of the spoken language.

Part IV- The Writing section is designed to develop writing, structures, and spelling skills.

Part V- The Culture section tests the comprehension of students after reading authentic short stories, poems, legends, and nonfiction articles that reflect and support the culture of Spanish-speaking people.

AVAILABLE IN BOTH IBM-WINDOWS AND MACINTOSH FORMATS

You may order your easy-to-use software for the *Computer Test Bank* for *Prentice Hall Juntos Dos* in either IBM-Windows or Macintosh format. Just complete the order form in the front of the booklet, designate which format you prefer, and mail the postage-paid order form to Prentice Hall. You will receive your disks together with complete installation and operating instructions in just a few weeks. For more information, contact your Prentice Hall Sales Representative or call 1-800-848-9500.

FLEXIBLE TEST-MAKING

The *Computer Test Bank* software allows you to edit existing questions, create your own test questions, scramble the sequence for multiple versions of the same test, and generate customized answer keys. A complete User's Guide is provided with your software.

HELP IS JUST A TELEPHONE CALL AWAY

Stuck at any point? Simply call our toll-free HELP hotline (1-800-237-7136) for continuous and reliable support.

About the Prentice Hall Dial-A-Test™ Service

If you do not have access to a computer or would like the convenience of designing your own tests without typing a word, you may want to take advantage of our free Dial-A-Test™ Service. Available to all users of *Prentice Hall Juntos Dos*, Dial-A-Test™ is simple to use.

Dial-A-Test™ OFFERS YOU THE ABILITY TO:

- Customize tests.
- Focus your testing on mastery of specific content.
- Scramble your questions for each class you teach.

HERE'S HOW IT WORKS

1. **Choose the questions you want** from the ready-made Chapter Test Questions.
2. **Enter the numbers of the questions** in the order you want on a Dial-A-Test™ Order Form (see page vi). Be sure to include the chapter number on the form. For example, in the case of test question 17, taken from Chapter 1, mark the order form with the designation J2- 01-17.
3. **Use a separate Dial-A-Test™ order form** for each original test you to request. You may use one form, however, to order multiple versions of the same original test.
4. **If you would like another version** of your original test with the questions scrambled, or put in another sequence, simply check the box labeled *Scramble Questions* on the order form. If you would like more than one scrambled version of your original test, note this on your order form or inform the Dial-A-Test™ operator. Please note that Prentice Hall reserves the right to limit the number of tests and versions you can request at any one time, especially during the busier times of the year when midterms and finals are given.
5. **Choose the method** by which you would like to order your original test and/or multiple versions of your original test. To order by telephone, call toll free 1-800-468-8378 between 9:00 a.m. and 4:30 p.m. Eastern Standard Time and read the test question numbers to our Dial-A-Test™ operator. Use the Dial-A-Test™ Code 080 for *Prentice Hall Juntos Dos*. To order by mail, send your completed Dial-A-Test™ order form to the address listed below. Now you may also FAX your order to 1-614-771-7365.
6. **You may order** up to 100 questions per test by telephone on our toll-free 800 number or up to 200 questions per test by mail.
7. **Please allow a minimum of two weeks** for shipping, especially if you are ordering by mail. Although we process your order within 48 hours of your call or the receipt of your form by mail, mailing may take up to two weeks. Thus we ask you to plan accordingly and expect to receive your original test, any alternate test versions that you requested, and complete answer keys within a reasonable amount of time.
8. **Tests are available all year.** You can order tests before the school year begins, during vacation, or as you need them.
9. **For additional order forms** or to ask questions regarding this service, please write to:

Dial-A-Test™
Prentice Hall School Division
4350 Equity Drive
Columbus, OH 43228

Thank You!

DIAL-A-TEST™ CODE 080

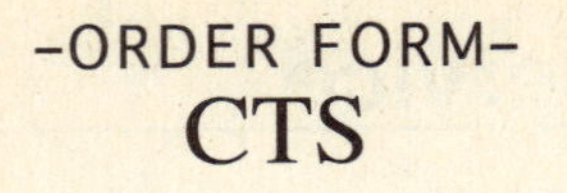

DIAL-A-TEST™

PRENTICE HALL SCHOOL DIVISION
CUSTOMIZED TESTING SERVICE
TOLL-FREE NUMBER 800-468-8378 (H O-T-T-E-S-T)

-ORDER FORM-
CTS

You may **call** the PH Dial-A-Test™ toll-free number during our business hours (9:00 a.m.-4:30 p.m. EST).

DIAL-A-TEST™
PRENTICE HALL SCHOOL DIVISION
4350 EQUITY DRIVE
COLUMBUS, OH 43228

FOR PH USE DATE REC. DATE SENT
__ PHONE __ MAIL __ FAX ________ ________

EXACT TEXT TITLE/VOL. ______Juntos Dos______ **© DATE** __1997__
CODE __080__

CUSTOMER INFORMATION
NAME ____________________
SCHOOL ____________________
ADDRESS ____________________
CITY ____________ STATE ____ ZIP ______
PHONE ____________ EXT. ______

TEST USAGE (CHECK ONE)
__ **SAMPLE** __ **QUIZ** __ **CHAPTER TEST**
__ **UNIT TEST** __ **SEMESTER TEST** __ **FINAL EXAM**

DATE BY WHICH TEST IS NEEDED ________

VERSIONS (SEE REVERSE-INSTR. #4) (CHECK ONE)
__ **1. ORIGINAL** __ **2. SCRAMBLE QUESTIONS**

TEST IDENTIFICATION (This information will appear at the top of your test.)
____
____
____
____

EXAMPLE: Mr. Hernandez
Spanish 101, Period 5
Test

1 ____	26 ____	51 ____	76 ____	101 ____	126 ____	151 ____	176 ____
2 ____	27 ____	52 ____	77 ____	102 ____	127 ____	152 ____	177 ____
3 ____	28 ____	53 ____	78 ____	103 ____	128 ____	153 ____	178 ____
4 ____	29 ____	54 ____	79 ____	104 ____	129 ____	154 ____	179 ____
5 ____	30 ____	55 ____	80 ____	105 ____	130 ____	155 ____	180 ____
6 ____	31 ____	56 ____	81 ____	106 ____	131 ____	156 ____	181 ____
7 ____	32 ____	57 ____	82 ____	107 ____	132 ____	157 ____	182 ____
8 ____	33 ____	58 ____	83 ____	108 ____	133 ____	158 ____	183 ____
9 ____	34 ____	59 ____	84 ____	109 ____	134 ____	159 ____	184 ____
10 ____	35 ____	60 ____	85 ____	110 ____	135 ____	160 ____	185 ____
11 ____	36 ____	61 ____	86 ____	111 ____	136 ____	161 ____	186 ____
12 ____	37 ____	62 ____	87 ____	112 ____	137 ____	162 ____	187 ____
13 ____	38 ____	63 ____	88 ____	113 ____	138 ____	163 ____	188 ____
14 ____	39 ____	64 ____	89 ____	114 ____	139 ____	164 ____	189 ____
15 ____	40 ____	65 ____	90 ____	115 ____	140 ____	165 ____	190 ____
16 ____	41 ____	66 ____	91 ____	116 ____	141 ____	166 ____	191 ____
17 ____	42 ____	67 ____	92 ____	117 ____	142 ____	167 ____	192 ____
18 ____	43 ____	68 ____	93 ____	118 ____	143 ____	168 ____	193 ____
19 ____	44 ____	69 ____	94 ____	119 ____	144 ____	169 ____	194 ____
20 ____	45 ____	70 ____	95 ____	120 ____	145 ____	170 ____	195 ____
21 ____	46 ____	71 ____	96 ____	121 ____	146 ____	171 ____	196 ____
22 ____	47 ____	72 ____	97 ____	122 ____	147 ____	172 ____	197 ____
23 ____	48 ____	73 ____	98 ____	123 ____	148 ____	173 ____	198 ____
24 ____	49 ____	74 ____	99 ____	124 ____	149 ____	174 ____	199 ____
25 ____	50 ____	75 ____	100 ____	125 ____	150 ____	175 ____	200 ____

1 COMPUTER TEST BANK QUESTIONS

PART I

A. Read each sentence and write the letter of the picture it describes in the space provided.

a.

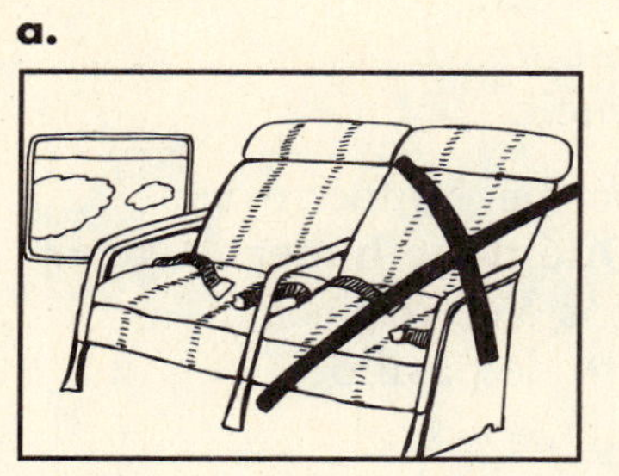

b.

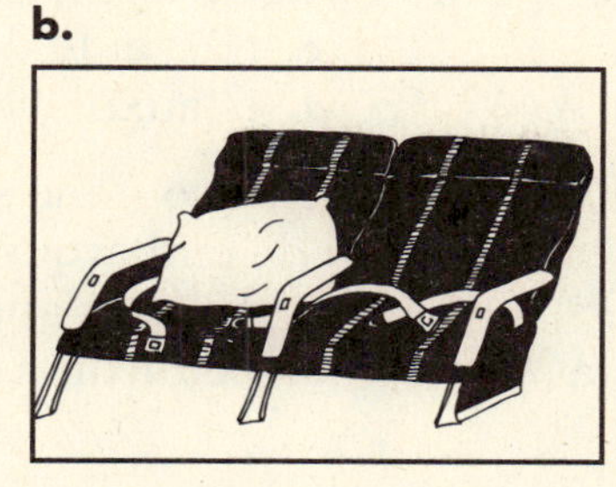

c.

d.

e.

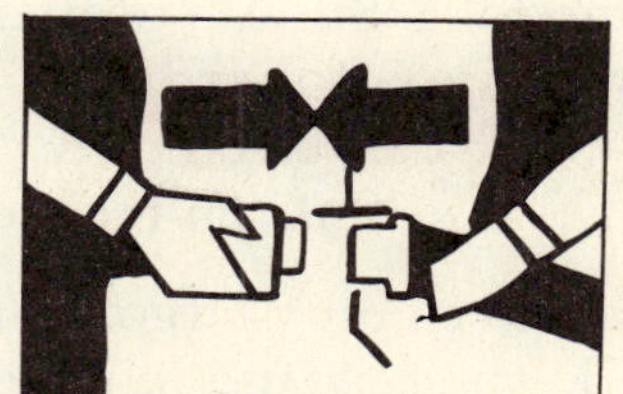

f.

g.

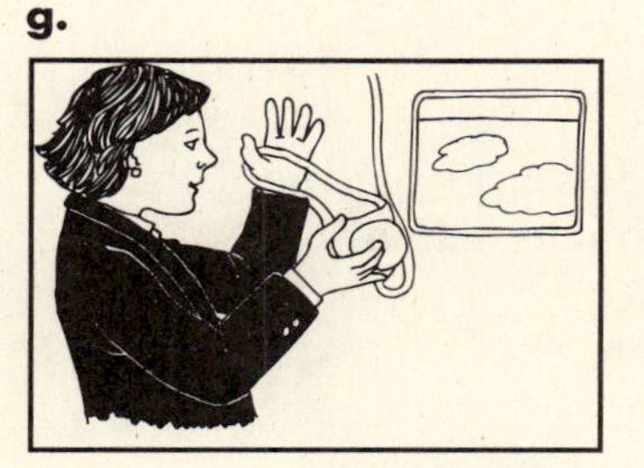

h.

i.

j.

___ **1.** Pongan su equipaje debajo del asiento.
___ **2.** Esta señora necesita un maletero.
___ **3.** Prefiero un asiento de ventanilla.
___ **4.** Abróchense los cinturones, por favor.
___ **5.** Necesito la almohada porque estoy cansado.
___ **6.** Su pasaporte, por favor.
___ **7.** En caso de emergencia, usen la máscara de oxígeno.
___ **8.** Por favor, no usen aparatos electrónicos.
___ **9.** Pongan su equipaje en el compartimiento de arriba.
___ **10.** No me gusta viajar en avión. Prefiero viajar en tren.

B. Read each paragraph and the question that follows. Circle the letter of the correct answer.

11. María tiene que ir al mostrador de la aerolínea, pero no puede porque lleva cuatro maletas y tres bolsas. **¿Quién puede ayudar a María?**
- **a.** el agente de migración
- **b.** el maletero
- **c.** el agente de aduanas
- **d.** el auxiliar de vuelo

12. El vuelo de Álvaro va a salir a tiempo. Álvaro tiene su pasaje. Ya facturó su maleta, pero no sabe cuál es su puerta de embarque. **¿Qué debe hacer Álvaro?**
- **a.** comprar el pasaje
- **b.** averiguar el número de la puerta de embarque
- **c.** no usar aparatos electrónicos
- **d.** pedir un asiento de pasillo

13. Roberto prefiere viajar en bicicleta porque le gusta el deporte. Lola prefiere viajar en coche porque es más cómodo. Y Susana prefiere viajar en autobús porque es más barato. **¿Cómo prefiere viajar Roberto?**
- **a.** en coche
- **b.** en avión
- **c.** en tren
- **d.** en bicicleta

14. Carlos está en el avión. Su vuelo es muy largo. Carlos está cansado y quiere dormir. Llama a la auxiliar de vuelo. **¿Qué le pide Carlos a la auxiliar de vuelo?**
- **a.** un asiento de ventanilla
- **b.** una máscara de oxígeno
- **c.** una almohada
- **d.** unos auriculares

15. Elisa está en el avión. Tiene asiento de pasillo y no puede ver el paisaje. Elisa le pide al auxiliar de vuelo unos audífonos. **¿Qué quiere hacer Elisa?**
- **a.** abrocharse el cinturón
- **b.** mostrar su pasaporte
- **c.** escuchar música
- **d.** pedir una manta

C. Read each question. Circle the letter of the most appropriate answer.

16. El vuelo de Raúl llegó a tiempo al aeropuerto de San José, Costa Rica. Raúl ya salió del avión y ahora tiene que buscar sus maletas. ¿Qué dice?
- **a.** ¿Dónde está la aduana?
- **b.** ¿Dónde está la terminal de equipaje?
- **c.** ¿Está retrasado el vuelo?
- **d.** ¿Cuál es mi puerta de embarque?

17. Eres pasajero de un vuelo a México. El avión va a despegar en menos de cinco minutos. ¿Qué dice el auxiliar de vuelo?
- **a.** ¿Cuánto tiempo piensan quedarse?
- **b.** No pongan sus asientos en posición vertical.
- **c.** Abróchense los cinturones.
- **d.** Usen las salidas de emergencia.

18. Ramiro quiere viajar a Colombia. ¿Qué es lo primero que tiene que hacer?
- **a.** hacer las maletas
- **b.** averiguar si el vuelo está retrasado
- **c.** pedir la tarjeta de embarque
- **d.** hacer una reservación

19. El agente te dice que el vuelo de ida y vuelta a Costa Rica cuesta seiscientos dólares y tú sólo tienes quinientos. ¿Qué dices?

a. ¿Tiene un pasaje con descuento?
b. ¿Dónde está la puerta de embarque?
c. ¿Dónde está la salida de emergencia?
d. ¿Cuál es el motivo de su viaje?

20. Ángela hace una reserva a Costa Rica. ¿Qué le pregunta el agente?

a. ¿Cuál es la puerta de embarque?
b. ¿Quiere el chaleco salvavidas?
c. ¿Qué prefiere, una manta o una almohada?
d. ¿Prefiere un asiento de ventanilla?

PART II  Oral Proficiency

When students have finished the vocabulary and grammar sections in the chapter, they are ready to practice what they have learned. The role-playing activities in the *Situaciones* section provide them with this opportunity.

Situaciones

Part II of each Chapter Assessment evaluates the students' oral proficiency. This section may be administered before or after the written part of the test. Working in pairs, students will conduct a conversation entirely in Spanish. Assign one of the four suggested scenarios to each pair of students.

21. A flight attendant gives instructions to a passenger before taking off. The passenger is traveling by plane for the first time and asks him/her questions about the flight procedures.

22. A student is making a reservation for a trip. He/She is talking to a travel agent.

23. Two friends are planning a trip to Costa Rica but they have very different ideas on how to travel. For instance, one wants to fly non-stop and the other wants to make stops all over Central America. They discuss their travel plans for the trip and work out their disagreements.

24. A traveler is talking with an airline representative about a trip she/he is taking tomorrow. They discuss the flight time, boarding gate, luggage check-in time, and so on.

PART III Reading

A. Read the selection and the questions that follow. Circle the letter of the correctt answer.

Juan y Martín van a ir de vacaciones a Puntarenas, Costa Rica. Llegan al aeropuerto y hablan con la empleada de la aerolínea:

Juan: Perdón. ¿Dónde podemos facturar el equipaje para el vuelo a Puntarenas?

Empleada: Aquí. ¿Puedo ver sus pasajes y pasaportes, por favor?

Martín: Aquí los tiene.

Empleada: Señores, sus pasajes no son para Puntarenas. Son para Limón.

Juan: ¿Cómo? Tiene que ser un error.

Empleada: Si quieren, pueden cambiar los pasajes, pero tienen que pagar un poco más. No tenemos pasajes con descuento a Puntarenas.

Martín: Está bien. Queremos pasajes de ida y vuelta. ¿Cuánto tenemos que pagar?

Empleada: Puedo darles un vuelo con escala por 40 dólares más o un vuelo sin escala por 50 dólares más.

Juan: Preferimos el vuelo sin escala.

Empleada: Aquí tienen. Su vuelo sale en veinte minutos. Puerta de embarque número once.

Martín: Gracias.

25. ¿Adónde quieren ir Juan y Martín?
- **a.** a Limón, Costa Rica
- **b.** a la aduana
- **c.** a Puntarenas, Costa Rica
- **d.** a la terminal de equipaje

26. ¿Por qué tienen que cambiar sus pasajes?
- **a.** Porque quieren pasaje con descuento.
- **b.** Porque quieren un pasaje de ida y vuelta.
- **c.** Porque su vuelo está retrasado.
- **d.** Porque tienen pasajes a Limón y quieren ir a Puntarenas.

27. ¿Qué tienen que hacer si quieren ir a Puntarenas?
- **a.** vender sus pasajes a Limón
- **b.** cambiar los pasajes
- **c.** cambiar de aeropuerto
- **d.** pagar sesenta dólares más

28. ¿Qué tipo de pasajes quieren?
- **a.** con descuento de 40 dólares
- **b.** con escala
- **c.** con descuento de 50 dólares
- **d.** de ida y vuelta

29. ¿Cuándo sale su vuelo?
- **a.** sin escala
- **b.** de la puerta de embarque número once
- **c.** en veinte minutos
- **d.** en once minutos

B. You're about to land in Costa Rica and the flight attendant is giving instructions. There's a problem with the intercom and you can't understand everything the flight attendant is saying. Circle the word or phrase that best completes each sentence.

Buenas tardes, señoras y señores pasajeros. Estamos listos para ________________**(30)** Por favor, pongan sus asientos en posición ________________**(31)** y________________ **(32)** los cinturones. No usen ________________**(33)**. Al llegar al aeropuerto Juan Santamaría, vayan a ________________**(34)** y después pasen por ________________**(35)**. Gracias por volar con Aerotortuga.

30. volver/aterrizar/pensar

31. central/horizontal/vertical

32. abróchense/pónganse/no usen

33. el auxiliar de vuelo/aparatos electrónicos/la manta

34. la puerta de embarque/la terminal de equipaje/la salida de emergencia

35. la aduana/el asiento de pasillo/el mostrador de la aerolínea

C. While waiting in a long line at the airline ticket counter, you overhear parts of different conversations. Circle the word or phrase that best completes each sentence.

36. Muy bien, señora. ¿Prefiere un asiento de pasillo o de ________________?
(descuento, ida y vuelta, ventanilla, equipaje)

37. Perdón, quiero averiguar si este vuelo está ________________.
(retrasado, cómodo, listo, barato)

38. Pregúntale a ________________ a qué hora sale el vuelo.
(el agente de aduanas, la puerta de embarque, la empleada de la aerolínea, el policía)

39. Sólo tengo un pasaje de ida. Tengo que comprar un pasaje de ________________.
(salida, vuelta, maleta, descuento)

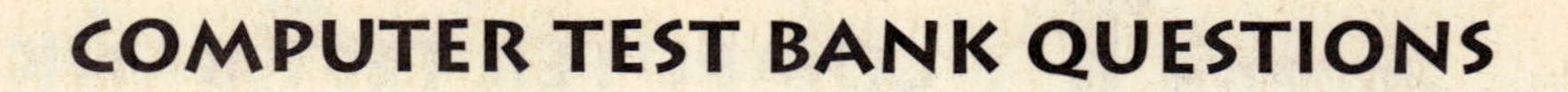

PART IV Writing

A. In each of the following dialogs, only the response is given. Pick the appropriate question and write it in the space provided.

¿Quiere un billete de ida y vuelta?
¿Cuál es el motivo de su viaje?
¿Cuánto tiempo piensa quedarse?
¿Está su asiento en posición vertical?
¿Me puedes dar los audífonos?
¿Dónde quiere sentarse?

40. Agente de aduanas ____________________
Pasajero: Estoy de vacaciones.

41. Tanya: ____________________
María: No, los estoy usando yo.

42. Auxiliar de vuelo: ____________________
María: Prefiero un asiento de ventanilla.

B. Read each paragraph, noting the underlined verb. In the spaces provided, write the appropriate present form of that verb.

43. Silvia quiere viajar a Colombia. Carlos y Antonio __________ viajar a Panamá.
Cecilia y yo __________ conocer Costa Rica. Y tú, ¿adónde __________ ir?

44. Carla y yo pensamos ir a bucear este fin de semana. Yo __________ que bucear es chévere, pero mis padres __________ que es muy peligroso. ¿Qué __________ tú?

45. Camilo e Irene prefieren viajar en coche hasta Colorado. Yo __________ viajar en avión. Tú __________ viajar en tren, ¿no? Entonces, todos nosotros __________ medios de transporte diferentes.

46. Tenemos muchos problemas. Carlota no __________ su pasaporte. Yo no __________ dinero. Y Joaquín y Pedro no __________ pasaje de vuelta.

C. Ramona and Antonia are going on a trip to Guatemala. Read their conversation, noting the underlined word. In each space provided, write the appropriate direct object pronoun.

Antonia: ¿Compraste un pasaje con descuento?

Ramona: Sí, claro. ________________**(47)** compré en la agencia de viajes de la calle Mayor.

Antonia: Yo también. Oye, es mi primer viaje en avión. ¿Qué hago con las maletas?

¿________________**(48)** llevo al avión?

Ramona: No. Debes facturar________________**(49)** con el agente de la aerolínea.

Antonia: ¿Y qué hago con el equipaje de mano?

Ramona: Bueno, ________________**(50)** puedes poner en el compartimiento de arriba o debajo del asiento.

Antonia: ¿Tienes ya la tarjeta de embarque?

Ramona: No, no ________________**(51)** tengo todavía. Tenemos que pedirla en el mostrador de la aerolínea, después de facturar el equipaje

Antonia: En el avión puedes escuchar la radio, ¿verdad? ¿Tengo que comprar unos audífonos?

Ramona: No, puedes pedir________________**(52)** al auxiliar de vuelo.

D. Look at the information in the plane ticket and answer the following questions.

AEROTORTUGA

Jaime Roldán

destino: Nueva York—*San Juan*—Caracas
Caracas—*San Juan*—Nueva York

fecha: 3/8/99
hora de salida: 10 a.m.
(escala en *San Juan*)
hora de llegada: 7 p.m.

puerta de embarque: 13
asiento: 11A *(ventanilla)*
precio: $650

53. ¿Cómo se llama la aerolínea? ________________________________

54. ¿Qué tipo de pasaje es? ________________________________

55. ¿Qué tipo de vuelo es? ________________________________

56. ¿Dónde hace escala? ________________________________

57. ¿A qué hora sale de Nueva York? ________________________________

PART V Culture

Answer the following questions.

58. Which of these countries is not in Central America: Costa Rica, Nicaragua or Perú?

____

59. What is Costa Rica the capital of?

____

60. Why is Costa Rica known as *"El jardín de la paz"*?

____

COMPUTER TEST BANK ANSWERS

Part I
Exercise A
1. c
2. f
3. a
4. e
5. b
6. i
7. g
8. d
9. h
10. j

Exercise B
11. b
12. b
13. d
14. c
15. c

Exercise C
16. b
17. c
18. d
19. a
20. d

Part II Oral Proficiency
21-24 Students' responses will vary.

Part III Reading
Exercise A
25. c
26. d
27. b
28. d
29. c

Exercise B
30. aterrizar
31. vertical
32. abróchense
33. aparatos electrónicos
34. la terminal de equipaje
35. la aduana

Exercise C
36. ventanilla
37. retrasado
38. la empleada de la aerolínea
39. vuelta

Part IV Writing
Exercise A
40. ¿Cuál es el motivo de su viaje?
41. ¿Me puedes dar los audífones?
42. ¿Dónde quiere sentarse?

Exercise B
43. quieren, queremos, quieres
44. pienso, piensan, piensas
45. prefiero, prefieres, preferimos
46. tiene, tengo, tienen

Exercise C
47. Lo
48. Las
49. -las
50. lo
51. la
52. -los

Exercise D
53. Se llama Aerotortuga.
54. Es un pasaje de ida y vuelta.
55. Es un vuelo con escala.
56. Hace escala en San Juan.
57. Sale a las diez de la mañana.

Part V Culture
58. Perú
59. San José
60. Because it has no army.

2 COMPUTER TEST BANK QUESTIONS

PART I

A. Read each sentence and write the letter of the picture it describes in the space provided.

a.

b.

c.

d.

e.

f.

g.

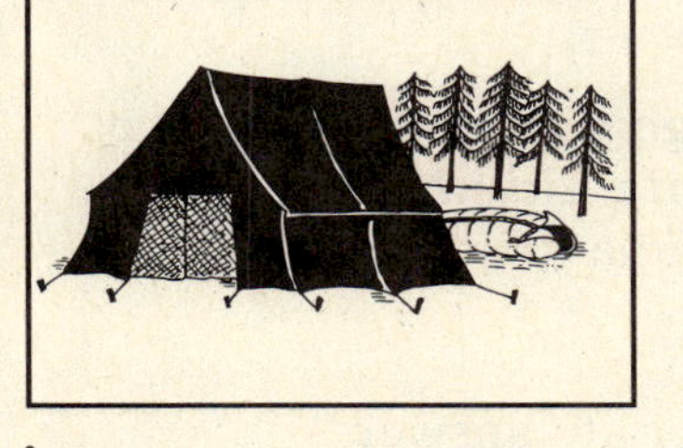

h.

i.

j.

__ **1.** Ayer fuimos a montar a caballo.
__ **2.** El sábado fuimos a pescar.
__ **3.** El saco de dormir está detrás de la tienda de campaña.
__ **4.** María Elena fue a explorar el volcán.
__ **5.** No tiren basura en las reservas naturales.
__ **6.** Para observar animales necesitas binoculares.
__ **7.** ¿Me puedes dar el repelente de insectos?
__ **8.** Por favor, no les dé comida a los animales.
__ **9.** Para llegar al lago, siga las señales.
__ **10.** No corten las flores.s

B. Read each paragraph and the question that follows it. Circle the letter of the correct answer.

11. Ayer, Paula y Ricardo la pasaron pura vida. Por la mañana, navegaron los rápidos en balsa. Por la tarde, observaron animales con los binoculares. **¿Qué hicieron Paula y Ricardo ayer por la mañana?**
a. Dieron de comer a los animales.
b. Exploraron volcanes.
c. Montaron a caballo.
d. Navegaron los rápidos en balsa.

12. El verano pasado, Francisco fue de campamento con sus compañeros de clase. Fueron a una reserva natural. Todos los días montaron a caballo. **¿Qué hizo Francisco todos los días?**
a. Pescó.
b. Fue de campamento.
c. Montó a caballo.
d. Vio un quetzal.

13. El verano pasado, Daniel fue a una reserva natural de Costa Rica. Allí vio mariposas, un tucán, tortugas y una serpiente. Daniel quiere volver a Costa Rica porque no vio un quetzal. **¿Por qué quiere volver Daniel a Costa Rica?**
a. Porque tiene vacaciones.
b. Porque no vio un quetzal.
c. Porque no vio un tucán.
d. Porque es su país favorito.

14. Alberto va todos los meses de campamento. Siempre lleva una cantimplora. *A él le gusta pescar y hacer caminatas*. **¿Qué lleva siempre Alberto?**
a. una brújula
b. una tienda de campaña.
c. binoculares y basura
d. una cantimplora

15. Lidia está haciendo una caminata. Quiere ir hacia el lago y sabe que está en el nordeste, pero no sabe en qué dirección ir. **¿Qué necesita Lidia?**
a. repelente de insectos
b. una brújula
c. botas de montaña
d. un casco

C. Read each question. Circle the leter of the most appropriate answer.

16. Si acampas cerca de un río y tienes hambre, ¿qué puedes hacer?
a. pescar en el río
b. montar a caballo
c. hacer caminatas
d. observar a los animales

17. Tus hermanos van a ir a navegar los rápidos. ¿Qué consejo les das?
a. Sigan la señal.
b. No lleven el repelente de insectos.
c. Lleven un casco.
d. Lleven un saco de dormir.

18. En un parque un señor va a darle de comer a un mono. ¿Qué le dices?
a. Siga el sendero.
b. No les dé comida a los animales.
c. No corte las flores.
d. Pesque en el lago.

19. Dos señores quieren ir a pescar. Tienen una brújula, pero no saben en qué dirección ir. Tú sabes que el río está al sudeste. ¿Qué les dices?
- **a.** No corten las flores.
- **b.** Sigan el sendero hacia el sudeste.
- **c.** Sigan la señal hacia el noroeste.
- **d.** Protejan las especies en peligro de extinción.

20. Estás en una fiesta en la playa con tus amigos. Hace buen tiempo. La comida es deliciosa y la música te gusta mucho. ¿Qué dices?
- **a.** ¡Usen el casco!
- **b.** ¡No saquen fotos!
- **c.** ¡Miren! ¡Un murciélago!
- **d.** ¡Es pura vida!

PART II Oral Proficiency

When students have finished the vocabulary and grammar sections in the chapter, they are ready to practice what they have learned. The role-playing activities in the *Situaciones* section provide them with this opportunity.

Situaciones

Part II of each Chapter Assessment evaluates the students' oral proficiency. This section may be administered before or after the written part of the test. Working in pairs, students will conduct a conversation entirely in Spanish. Assign one of the four suggested scenarios to each pair of students.

21. Two ecologists are visiting a new natural reserve. They observe and discuss the reserve's geography, animals, and plants.

22. Two friends are talking about a camping trip they took to a rain forest. They discuss where they camped, what animals they saw, and what other activities they did there.

23. A tourist is talking to a park ranger. They discuss rules about garbage, fires, camping, and animals.

24. A salesperson in a sports store is talking to a customer who wants to buy camping equipment. The salesperson makes suggestions and answers the customer's questions about camping needs.

PART III Reading

A. Read the selection and the questions that follow. Circle the letter of the correct answer.

En clase de biología, Mabel y Rebeca están estudiando animales en peligro de extinción. Hay una reserva natural cerca de donde viven. Están planeando una excursión a esta reserva y van a casa de Tonio para preguntarle si quiere ir con ellas.

Mabel: Rebeca y yo vamos a ir de excursión a la reserva natural. Allí queremos observar algunos de los animales que estamos estudiando en clase de biología. ¿Quieres venir?

Tonio: ¿Cómo van a ir? ¿En autobús?

Rebeca: No, en bicicleta. Está sólo a 20 minutos.

Tonio: Hoy no tengo mi bicicleta. La tiene mi hermano.

Rebeca: Si quieres, puedes usar la bicicleta de mi hermana. Mis padres le compraron una y ella todavía no sabe montar.

Tonio: Vale. ¿Necesitamos alguna cosa?

Mabel: No, tenemos todo: la brújula, la cantimplora . . . ¡y los binoculares que compré ayer!

Rebeca: Yo fui a la biblioteca. ¡Mira qué libro sobre animales tan interesante!

Tonio: Yo puedo llevar repelente de insectos.

Mabel: Sí, lo vamos a necesitar. ¡Vamos!

25. ¿Para qué quieren ir a una reserva natural?
- **a.** para montar en bicicleta
- **b.** para observar a los animales
- **c.** para estudiar para el examen de biología
- **d.** para pescar en el río

26. ¿Cómo van a ir?
- **a.** en autobús
- **b.** caminando
- **c.** en balsa
- **d.** en bicicleta

27. ¿Por qué no puede ir Tonio en su bicicleta?
- **a.** Porque no tiene dinero.
- **b.** Porque no sabe montar.
- **c.** Porque la tiene su hermano.
- **d.** Porque prefiere ir en autobús.

28. ¿Qué compró Mabel ayer?
- **a.** una cantimplora
- **b.** un casco
- **c.** una brújula
- **d.** unos binoculares

29. ¿Qué hizo Rebeca ayer?
- **a.** Compró un libro.
- **b.** Compró repelente de insectos.
- **c.** Fue a la biblioteca.
- **d.** Aprendió a montar en bicicleta.

B. Last night you had a strange dream about a giant mosquito. You try to write it down, but you can't remember it all. Circle the words that best complete this dream.

Anoche tuve un sueño muy raro. Un mosquito gigante entró en mi ______________ **(30)** de campaña. Fui a buscar el ________________ **(31)** de insectos. Yo siempre hago todo lo que puedo para ________________ **(32)** el medio ambiente: reciclo las ________________ **(33)** y las botellas, mantengo limpia la ciudad. ¡ Pero los mosquitos no son una especie en ____________________ **(34)** de extinción.

C. Read the following incomplete sentences. Circle the word that best completes each sentence.

35. Para llegar al río, siga el ________________.
(tucán, señal, sendero, tienda)

36. Ayer yo ________________ un pez más grande que una tabla de surf.
(empecé, pescamos, pesqué, pescó)

37. No fuimos a navegar los rápidos porque Susana no ________________ su casco.
(llevó, vendió, visitó, compramos)

38. Marta no ________________ a la reserva natural porque no le gustan los insectos.
(fue, fuiste, fui, llevó)

39. ¿________________ ustedes quetzales en la reserva natural?
(Vimos, Observamos, Vieron, Vio)

PART IV Writing

A. It's one of those days when everyone wants to do something that has already been done. Write the correct preterite form of the underlined verb.

40. Silvia: ¿Quieres comer algo conmigo?

Tú: No, gracias. Ya ________________.

41. Profesora: Necesito hablar con tus padres.

Tú: Pero usted ya ________________ con ellos.

42. Mamá: Vamos a ir a un restaurante mexicano hoy. ¿Quieren venir?

Tus hermanos y tú: Pero ya ________________ a un restaurante mexicano ayer.

43. Nadia: ¿Quieres hacer la tarea conmigo?

Tú: Yo ya ________________ la tarea esta mañana.

44. Televisor: ¡ Y ahora los hermanos Bravos van a caminar por la fogata!

Tú: ¡Qué aburrido! Los hermanos Bravos ________________ por la fogata ayer.

B. Read each dialog, noting the underlined verb. In the spaces provided write the appropriate preterite forms of that verb.

45. Raquel: ¡Qué fin de semana tan chévere! ¿Qué hicieron?

Silvia: Pues, Ana y yo ______________ una caminata y nuestros padres ______________ una barbacoa.

46. Manuel: Me gustaría vivir en Costa Rica como tu hermano. ¿En qué parte de Costa Rica vive?

Tina: El primer mes él ______________ en San José. Después, yo fui a visitarlo y ______________ juntos en Puntarenas.

47. Esteban: Me gustaría aprender a hacer surf. ¿Dónde ______________ tú?

Sergio: Yo ______________ en Costa Rica.

C. You are a park ranger. Everyone you meet is either lost or doing something wrong. In the space provided, advise the people with the correct *Ud./Uds.* command form of the underlined verb.

48. Miguel: Perdón, ¿qué sendero tengo que seguir para llegar al volcán?
Tú: ______________ ese sendero hacia el noreste.

49. Carla y Pablo: ¡Qué flores más bonitas! Vamos a cortar unas para mamá.
Tú: Por favor, no ______________ las flores.

50. La familia Smith: Es muy tarde, señor. ¿Podemos hacer una fogata?
Tú: ¡No! No ______________ fogatas.

51. El señor Sincabeza: No sé que hacer con la basura. ¿Puedo tirarla en el océano?
Tú: ¡No! No ______________ basura en el océano.

52. Los señores Estival: ¿Podemos pescar en este lago?
Tú: Sí, ______________ en la zona norte, es la mejor.

D. You, Marcos, and David are camping by the X in the map on page 17. Use the map to answer the questions. Use the *Ud./Uds.* commands as needed.

53. Marcos: Tengo que ir al coche para escuchar la radio. ¿Por dónde tengo que ir?

Tú: ____

____

54. David: ¡Vamos a explorar el volcán! Tenemos que ir hacia el sur, ¿no?

Tú: ____

____

55. Marcos: ¿Por qué no vamos a pescar al río? ¿Dónde está?

Tú: ____

____

56. Marcos y David: Si vamos a pescar al río, podemos hacer una fogata, ¿no?

Tú: ____

____

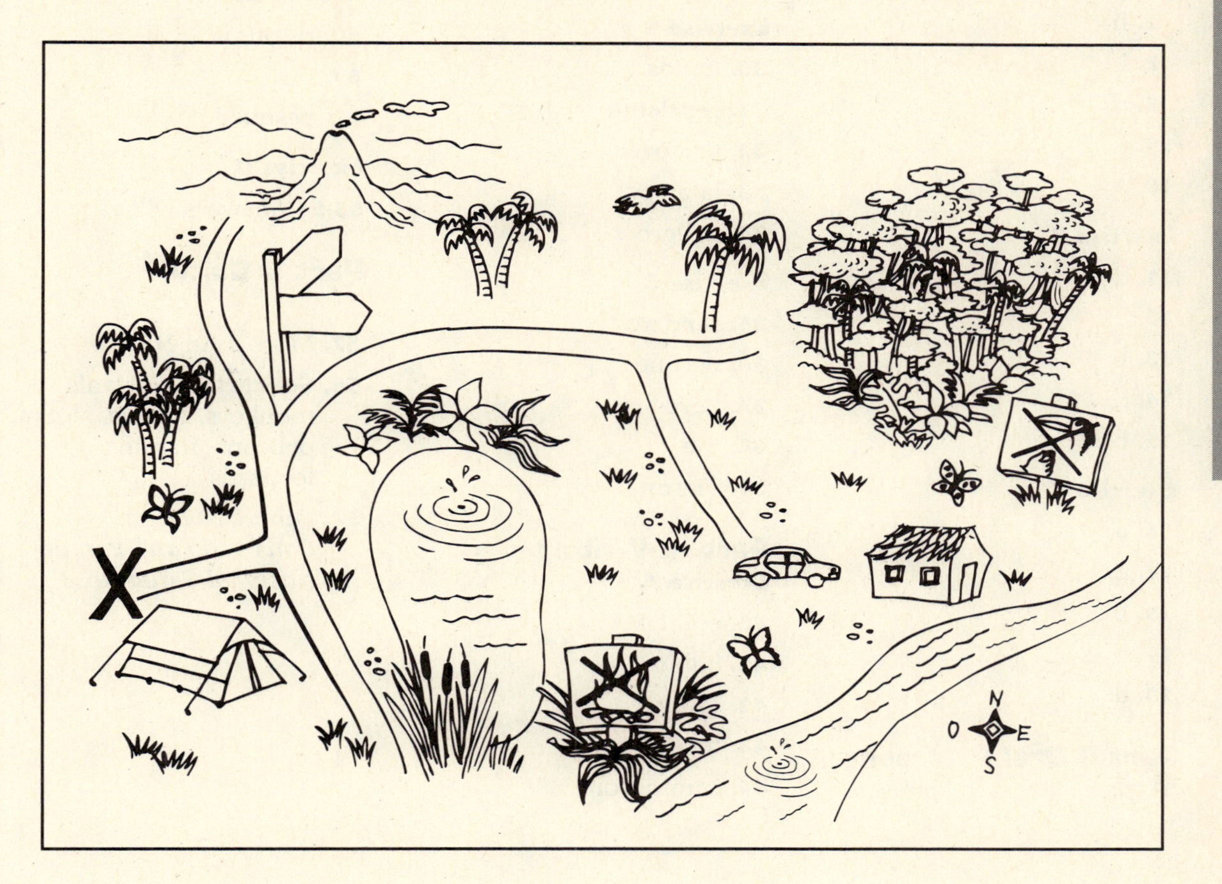

PART V Culture

Answer the following questions.

57. How many national parks and reserves are there in Costa Rica?

____

58. Name four rare, wild animals that are found in Costa Rica's natural reserves.

____

59. What are the names of two well-known national parks in Costa Rica?

____

2 COMPUTER TEST BANK ANSWERS

Part I

Exercise A

1. f
2. b
3. g
4. e
5. c
6. h
7. i
8. d
9. j
10. a

Exercise B

11. d
12. c
13. b
14. d
15. b

Exercise C

16. a
17. c
18. b
19. b
20. d

Part II Oral Proficiency

21-24 Students' responses will vary.

Part III Reading

Exercise A

25. b
26. d
27. c
28. d
29. c

Exercise B

30. tienda
31. repelente
32. protoger
33. latas
34. peligro

Exercise C

35. sendero
36. pesqué
37. llevó
38. fue
39. Vieron

Part IV Writing

Exercise A

40. comí
41. habló
42. fuimos
43. hice
44. caminaron

Exercise B

45. hicimos, hicieron
46. vivió, vivimos
47. aprendiste, aprendí

Exercise C

48. Siga
49. corten
50. hagan
51. tire
52. pesquen

Exercise D

53-56 Answers will vary.

Part V Culture

57. More than 30.
58. Sea turtles, quetzals, monkeys, tucans, sloths, pelicans, flamingos, leopards
59. *Parque Nacional Corcovado and Parque Nacional Santa Rosa*

CAPÍTULO 3 COMPUTER TEST BANK QUESTIONS

PART I

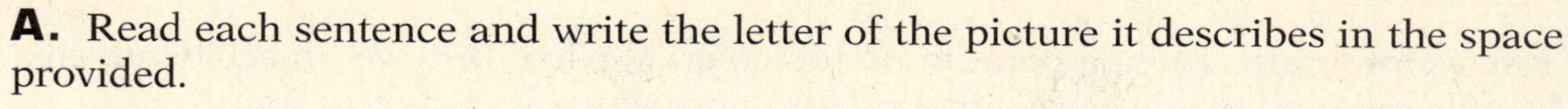

A. Read each sentence and write the letter of the picture it describes in the space provided.

a.

b.

c.

d.

e.

f.

g.

FINISH

h.

i.

j.

__ **1.** El bombero apagó el incendio.
__ **2.** El senador ganó las elecciones.
__ **3.** La reportera hizo una entrevista.
__ **4.** El voluntario de la Cruz Roja ayudó a la víctima.
__ **5.** El presidente dió un discurso.
__ **6.** Isabel ganó el maratón.
__ **7.** El policía recibió un premio.
__ **8.** Arturo leyó la noticia en el periódico.
__ **9.** El fotógrafo sacó fotos del accidente.
__ **10.** Juana y Ramón oyeron las noticias por la radio.

B. Read each paragraph and the question that follows. Circle the letter of the correct answer.

11. José es fotógrafo. Trabaja para un periódico en México, D.F. Ve un accidente en la calle, pero no puede sacar ninguna foto porque no lleva su cámara.
¿Qué no lleva José?
- **a.** el cuaderno
- **b.** la ambulancia
- **c.** la cámara
- **d.** las fotos

12. María y Angelina juegan al fútbol en un equipo de México, D.F. El año pasado su equipo ganó el campeonato. Ellas se emocionaron mucho.
¿Cómo reaccionaron María y Angelina?
- **a.** se preocuparon
- **b.** se sorprendieron
- **c.** se emocionaron
- **d.** se asustaron

13. Guillermo y Tony pasean por la ciudad y ven un accidente de coches. Ellos llaman a una ambulancia para ayudar a las víctimas.
¿Qué ven Guillermo y Tony?
- **a.** un incendio
- **b.** un terremoto
- **c.** un tornado
- **d.** un accidente de coches

14. Laura es una estudiante de universidad. Ayer oyó por la radio que hubo un incendio en un edificio en el centro. Ahora ella quiere ser voluntaria de la Cruz Roja. **¿Qué oyó Laura por la radio?**
- **a.** que hubo un terremoto
- **b.** que hubo un tornado
- **c.** que hubo una inundación
- **d.** que hubo un incendio

15. Ernesto quiere ser senador. Él da muchos discursos y habla con mucha gente. El año pasado recibió un premio muy importante y se emocionó mucho.
¿Qué quiere ser Ernesto?
- **a.** presidente
- **b.** periodista
- **c.** médico
- **d.** senador

C. Read each question. Circle the letter of the most appropriate answer.

16. José te dice que él no leyó el periódico. Después le preguntas a Ana. ¿Qué te dice ella?
- **a.** Tengo que llamar a la policía.
- **b.** Quiero ser senadora.
- **c.** Tampoco lo leí.
- **d.** No hubo víctimas.

17. Tu hermana lee algo en el periódico y se preocupa. ¿Qué pasó?
- **a.** Tu tío ganó el campeonato.
- **b.** El senador dió un discurso.
- **c.** Hubo un acuerdo de paz.
- **d.** Hubo un incendio en tu ciudad.

18. Tu hermana te dice que hubo un terremoto en tu pueblo. ¿Qué dices?
- **a.** Vi al fotógrafo.
- **b.** Yo tampoco lo leo.
- **c.** ¡No puede ser!
- **d.** Me alegro.

19. Te enteras de que hubo una inundación en un pueblo muy cerca. ¿Qué dices?
a. Hubo un terremoto.
b. ¡Qué horror!
c. ¿Quién ganó las elecciones?
d. ¡Yo gané el campeonato!

20 ¿Cómo reaccionas cuando te enteras de que tu equipo favorito ganó el campeonato?
a. das un discurso
b. te preocupas
c. te asustas
d. te alegras

PART II Oral Proficiency

When students have finished the vocabulary and grammar sections in the chapter, they are ready to practice what they have learned. The role-playing activities in the *Situaciones* section provide them with this opportunity.

Situaciones

Part II of each Chapter Assessment evaluates the students' oral proficiency. This section may be administered before or after the written part of the test. Working in pairs, students will conduct a conversation entirely in Spanish. Assign one of the four suggested scenarios to each pair of students.

21. Two students are discussing the news. They talk about recent events they heard or read about, where each event occurred, what happened, and their reaction to the events.

22. Two friends are talking about what they did after school yesterday. They ask each other questions about activities and respond using the preterite tense, as well as positive and negative words when appropriate.

23. Two students are talking about emergencies and disasters. They talk about an emergency situation that they have read or heard about or experienced first-hand. They discuss what happened, who responded, and what their personal reactions were.

24. A reporter is interviewing a professional athlete. The interviewer can ask about any or all of the following: the sport, its rules, the competition, winning and losing, and the team's chances for a championship.

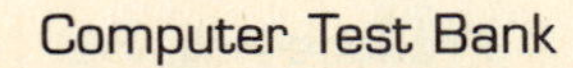

PART III Reading

A. Read the selection and the questions that follow. Circle the letter of the correct answer.

Noemí es policía en Ciudad de México. Ayer se enteró de un accidente en la plaza Garibaldi. Ella y su amigo Jaime ayudaron a una de las víctimas:

Víctima: ¡Necesito ayuda, por favor!
Noemí: Sí, señora. Ahora viene la ambulancia.
Víctima: ¿Eres voluntaria de la Cruz Roja?
Noemí: No, señora. Soy policía. ¿Qué pasó?
Víctima: No sé. Unos mariachis cantaron y luego se cayó el edificio.
Jaime: Bueno, no me extraña.
Noemí: ¿Por qué?
Jaime: Porque el grupo de mariachis se llama *Los Terremotos*.

25. ¿Qué es Noemí?
- **a.** policía
- **b.** periodista
- **c.** bombera
- **d.** reportera

26. ¿Para qué fue Noemí a la plaza Garibaldi?
- **a.** para comprar ropa en una tienda
- **b.** para apagar un incendio
- **c.** para ir al cine con su amigo Jaime
- **d.** para ayudar a las víctimas de un accidente

27. ¿Dónde fue el accidente?
- **a.** en el hospital
- **b.** en el cine
- **c.** en la plaza Garibaldi
- **d.** en el Zócalo

28. ¿Qué pasó en el accidente?
- **a.** Hubo un incendio.
- **b.** Un grupo de mariachis llamó a la policía.
- **c.** Un edificio se cayó.
- **d.** Hubo un terremoto.

29. ¿Qué cree la víctima?
- **a.** Cree que se cayó un avión.
- **b.** Cree que Noemí es voluntaria de la Cruz Roja.
- **c.** Cree que hubo un terremoto.
- **d.** Cree que hubo una inundación.

B. You are a volunteer firefighter responding to an emergency call on the radio. There is a lot of static and you can't make out all the words! Circle the word or phrase that best completes each sentence in the dialog.

¡Atención! Necesitamos voluntarios inmediatamente. Hay ________________**(30)** en la avenida Juárez y la calle 25. Los bomberos y la policía ________________**(31)** pero necesitan ayuda. Tenemos que ________________**(32)** inmediatamente porque hay un hospital de niños muy cerca. El incendio ya ________________**(33)** dos edificios y hay otro edificio que va a ________________ **(34)**.

30. un incendio horrible/una inundación/un terremoto horrible

31. se alegraron/ya llegaron/se asustaron

32. apagar el incendio/dar un discurso/construir el edificio

33. destruyó/apagó/recibió

34. enterarse/caerse/emocionarse

C. Read the following incomplete sentences. Circle the word that best completes each sentence.

35. ¡Papi, hay un incendio en la cocina! Llama a ______________.
(un senador, los bomberos, nadie, un deportista)

36. Estoy sola. No están ni mis hermanos ni mis padres. No hay ___________ en la casa. (todo, alguien, ellos, nadie)

37. Cuando recibió el premio Nobel, el Dr. Ruiz ______________.
(se alegró, se preocupó, se asustó, se cayó)

38. No me gusta leer los periódicos. Cuando quiero ______________ escucho la radio.(preocuparme, enterarme de las noticias, ganar el campeonato, recibir un premio)

39. Cuando ganó las elecciones, Miguel Luis habló con ______________.
(un reportero, los bomberos, un voluntario de la Cruz Roja, las víctimas)

PART IV Writing

A. Read the following dialogs. Complete each sentence with the correct word from below. You may use each word only once.

enteraste, enteré, oí, preocupas, preocupo

40. Arturo: Amalia, ¿te ___________ de las noticias de ayer?

41. Amalia: No, no ___________ nada.

42. Arturo: Me ___________ de que ayer hubo un terremoto en California.

43. Manuel: Sonia, ¿te ___________ mucho por los terremotos?

44. Sonia: No, no me ___________ por nada.

B. Read the first line of each dialog. Then, answer each question with negative words.

45. Tania: ¿Oíste las noticias del terremoto?

Tú: __________ , __________ oí __________.

46. Juana: ¿Cuántas páginas leíste anoche?

Tú: __________ leí __________ página.

47. Tony: ¿Qué me dijiste?

Tú: __________ te dije __________.

48. Samuel: ¿Quieres ser periodista o fotógrafo?

Tú: No quiero ser __________ periodista __________ fotógrafo.

49. Carla: ¿Puedes ir al teatro algún día esta semana?

Tú: Esta semana yo __________ puedo ir __________ día al teatro.

C. Read each paragraph, noting the underlined verb. In the spaces provided, write the appropriate preterite forms of that verb. Add the reflexive pronoun when necessary.

50. Ayer por la mañana <u>me enteré</u> del terremoto. Mis padres __________ más tarde porque visitaron a mi tío. El señor Ortega me dijo que él __________ por la televisión. ¿Cuándo __________ tú?

51. Guillermo: ¿<u>Oíste</u> lo que pasó en la plaza Garibaldi?

María Elena: Sí, lo __________ pero no me sorprendió.

Angela: Mis padres lo __________ por la radio, pero mi hermana y yo no lo __________.

52. Todos nosotros <u>nos caímos</u> ayer. Yo __________ en el lago. José __________ de la bicicleta.

D. Imagine that your friends are asking you the following questions. Answer with complete sentences.

53. Marcos: ¿Qué le dijiste a Elena? Está muy preocupada.

Tú: ______________________________

54. Eva: ¿Oíste el discurso del presidente anoche? ¿Qué dijo?

Tú: ______________________________

55. Tina: ¡Felicidades! Ganaste el campeonato. ¿Cómo reaccionaste?

Tú: ______________________________

56. Felipe: Me enteré del incendio en la casa de tus vecinos. ¿Cómo reaccionaron ?

Tú: ______________________________

E. Look at the drawings below. Write a complete sentence describing what happened in each picture. Use the preterite tense and reflexive pronouns.

57. ______________________________

____

58. ______________________________

____

59. ______________________________

____

60. ______________________________

____

PART V Culture

Fill in each space with the correct answer.

61. In 1978, construction workers in Mexico City discovered ____________ while working on the city's metro.

62. ____________ was elected president of Mexico in 1994.

63. In 1968, Mexico was the host of the ____________.

64. In 1986, Mexico organized the ____________.

65. In 1985, a great ____________ destroyed over 1,100 buildings in Mexico City.

66. What do the initials D.F. stand for in *México D.F.*?

____

3 COMPUTER TEST BANK ANSWERS

Part I

Exercise A

1. e
2. i
3. a
4. h
5. c
6. g
7. j
8. d
9. f
10. b

Exercise B

11. c
12. c
13. d
14. d
15. d

Exercise C

16. c
17. d
18. c
19. b
20. d

Part II Oral Proficiency

21-24 Students' responses will vary.

Part III Reading

Exercise A

25. a
26. d
27. c
28. c
29. b

Exercise B

30. un incendio horrible
31. ya llegaron
32. apagar el incendio
33. destruyó
34. caerse

Exercise C

35. los bomberos
36. nadie
37. se alegró
38. enterarme de las noticias
39. un reportero

Part IV Writing

Exercise A

40. enteraste
41. oí
42. enteré
43. preocupas
44. preocupo

Exercise B

45. No, nada
46. No, ninguna
47. No, nada
48. ni, ni
49. no, ningún

Exercise C

50. se enteraron, se enteró, te enteraste
51. oí, oyeron, oímos
52. me caí, se cayó

Exercise D

53-56 Answers will vary.

Exercise E

Answers will vary. Possible answers:

57. El edificio se cayó.
58. El bombero se alegró.
59. El policía se preocupó.
60. El fotógrafo se asustó.

Part V Culture

61. the ruins of an Aztec temple
62. Ernesto Zedillo
63. Olympic Games
64. Soccer World Cup
65. earthquake
66. *Distrito Federal*

4 COMPUTER TEST BANK QUESTIONS

PART I

A. Read each sentence and write the letter of the picture it describes in the space provided.

a.

b.

c.

d.

e.

f.

g.

h.

i.

j.

__ **1.** A Manuel no le gusta el ruido.
__ **2.** Es más rápido ir en tren que en coche.
__ **3.** Carlos recibió un fax.
__ **4.** Julio usa la aspiradora.
__ **5.** Mi papá usa una cámara cinematográfica para hacer películas de nuestra familia.
__ **6.** Pablo usaba una cámara de video.
__ **7.** Mucha gente trabaja en oficinas.
__ **8.** Ricardo y Pedro usan el ascensor.
__ **9.** Cuando hace calor, Esteban pone el aire acondicionado.
__ **10.** La Sra. Ruiz cocinaba en el horno microondas.

B. Read each paragraph and the question that follows. Circle the letter of the correct answer.

11. Susana vive en Ciudad de México. Trabaja en una fábrica del centro. Su novio, Carlos, vive en Veracruz. Es periodista. **¿Dónde trabaja Susana?**
a. en un rascacielos
b. en una fábrica del centro
c. en un edificio de apartamentos
d. en una finca

12. El primer aparato electrónico que Juan aprendió a usar fue la fotocopiadora. Después aprendió a usar el fax y la computadora.
¿Cuál es el primer aparato electrónico que Juan aprendió a usar?
a. la fotocopiadora
b. el correo electrónico
c. el fax
d. la computadora

13. Pedro es reportero. Antes Pedro mandaba cartas por correo urgente. Ahora su oficina es más moderna y manda las cartas por fax. **¿Cómo mandaba Pedro las cartas antes?**
a. por computadora
b. por fax
c. por correo electrónico
d. por correo urgente

14. Mariana trabaja en un hotel. Antes usaba una escoba pero ahora usa una aspiradora. **¿Qué usa Mariana ahora?**
a. una escoba
b. un ascensor
c. una aspiradora
d. un ventilador

15. Carla trabaja de lunes a viernes y Tomás, los fines de semana. Carla usa transporte público y Tomás va en coche para ir a trabajar.
¿Qué usa Carla para ir a trabajar?
a. el coche
b. el taxi
c. el transporte público
d. el tren

C. Read each sentence and the question that follows. Circle the letter of the most appropriate answer.

16. Si necesitas recibir un folleto urgentemente, ¿qué dices?
a. Mándalo por fax.
b. Usa la fotocopiadora.
c. ¿Dónde está el papel carbón?
d. Mándalo por carta.

17. Antes la gente mandaba cartas o telegramas. ¿Qué hace la gente hoy?
a. Usa la aspiradora.
b. Usa el correo electrónico.
c. Va en metro.
d. Usa el ascensor.

18. El autobús cuesta 5 pesos y el tren cuesta 30 pesos. ¿Por qué vas en autobús?
a. Porque el autobús es más barato.
b. Porque el tren es más barato.
c. Porque el autobús cuesta tanto como el tren.
d. Porque el tren es más moderno.

19. Hace mucho calor en tu casa. ¿Qué usas?
a. el ventilador
b. el horno de leña
c. el teléfono celular
d. la máquina de escribir

20. Vivir en una ciudad tiene muchas ventajas, pero me gusta más el campo. ¿Por qué?
a La ciudad es más moderna.
b. Hay edificios de oficinas en el campo.
c. El campo es más limpio.
d. En el campo hay rascacielos.

PART II Oral Proficiency

When students have finished the vocabulary and grammar sections in the chapter, they are ready to practice what they have learned. The role-playing activities in the *Situaciones* section provide them with this opportunity.

Situaciones

Part II of each Chapter Assessment evaluates the students' oral proficiency. This section may be administered before or after the written part of the test. Working in pairs, students will conduct a conversation entirely in Spanish. Assign one of the four suggested scenarios to each pair of students.

21. A customer is talking to a salesperson about buying a new computer. The customer asks questions about the computer — what functions it can perform, how it compares with older models, and how much it costs. The salesperson answers.

22. Two office workers are talking about their new office and all the new technology they use.

23. Two friends are talking about what they were like when they were children. They ask and answer questions about what they did, where they lived, what they liked to eat, play, read, listen to, and so on.

24. Two students are talking about how technology has changed over the years. They are discussing different activities, like travel or communication, and comparing what was used in the past with what is used today.

PART III Reading

A. Read the dialog and the questions that follow. Circle the letter of the correct answer.

Lázaro trabaja en un edificio de oficinas en Ciudad de México. Él está hablando por teléfono con su madre, que vive en el campo, en el estado de Oaxaca.

Madre: Ay, mi hijo, ¿por qué vives en Ciudad de México? Es muy peligroso vivir en la ciudad.

Lázaro: Pues, mamá, tengo las ventajas de vivir en la ciudad. Hay cines y . . .

Madre: ¡Ay, mi hijo! Allí hay mucho ruido, hay mucha contaminación y no comes bien. Yo lo sé.

Lázaro: Mamá, ¿por qué te preocupas? Tengo un horno microondas en casa y...

Madre: ¿Un horno microondas? ¡Ay, mi hijo! Eso es muy peligroso. ¿Por qué no usas el horno de leña?

Lázaro: Mamá, vivo en un edificio de apartamentos. ¡No puedo usar un horno de leña!

Madre: ¡No me digas! ¡Qué ciudad más horrible! Entonces, tienes que volver a Oaxaca.

25. ¿Dónde trabaja Lázaro?
- **a.** Trabaja en una fábrica.
- **b.** Trabaja en una granja.
- **c.** Trabaja en el correo.
- **d.** Trabaja en un edificio de oficinas.

26. ¿Por qué le gusta a Lázaro vivir en Ciudad de México?
- **a.** Hay mucho tráfico.
- **b.** Hay mucha contaminación.
- **c.** Tiene las ventajas de vivir en la ciudad.
- **d.** Hay muchas autopistas.

27. ¿Qué cree su madre de la Ciudad de México?
- **a.** Tiene muchas ventajas.
- **b.** Hay mucho tráfico.
- **c.** Hay mucha contaminación.
- **d.** La ciudad es muy limpia.

28. ¿Por qué no usa Lázaro un horno de leña?
- **a.** No sabe cocinar.
- **b.** El horno de microondas es más barato.
- **c.** No tiene leña.
- **d.** Vive en un edificio de apartamentos.

29. ¿Cómo es la madre de Lázaro?
- **a.** Se preocupa mucho por su hijo.
- **b.** Es guapa.
- **c.** Se preocupa por el campo.
- **d.** Es joven.

B. While waiting in the check-out line of a computer store, you overhear a customer complaining about a recent purchase. Circle the word or phrase that best completes each sentence in the dialog.

Cliente: Esta computadora no es muy buena. No usa _______________**(30)** muy moderna y hace mucho _______________**(31)**. Necesito una computadora para mandar información _______________**(32)**. Es _______________**(33)** mandar información por correo urgente. Esta máquina de escribir tiene _______________**(34)** años como esta computadora.

30. la ventaja/la tecnología/la puerta

31. ruido/tráfico/calor

32. por correo electrónico/por correo urgente/por transporte público

33. más rápido que/menos rápido que/más peligroso que

34. tanta/tantas/tantos

C. Read the following incomplete sentences. Circle the word that best completes each sentence.

35. Vivir en las grandes ciudades de hoy tiene muchas _______________.
(escobas, ruidos, ventajas, tecnologías)

36. Hoy la gente usa grandes _______________ para ir de un lugar a otro.
(aire acondicionado, autopistas, fábricas, computadoras)

37. Antes del fax y del correo electrónico, la gente no _______________ recibir información muy rápidamente.
(iban a, pueden, podía, puede)

38. Cuando iba de vacaciones con mi familia, siempre llevaba _______________.
(la cámara de video, el telegrama, la aspiradora, el ascensor)

39. Cuando yo era niño, me _______________ mucho viajar a México.
(decía, gustaba, tomaba, leía)

PART IV Writing

A. Read the following incomplete conversations. Complete each sentence with the correct word from below. You may use each word only once.

como, era, tenía, había, menos, tanto, mandar, mando, que, iba

40. Roberto: Maribel, ¿puedes _______________ correo electrónico con tu computadora?
Maribel: Sí, con mi computadora lo _______________ muy rápido y muy fácilmente.

41. Juan: Mi computadora puede escribir cartas más rápidamente _______________ una máquina de escribir.
Luisa: Mi computadora tiene tantas ventajas ____________ la computadora de Juan.

42. Carlos: En el pasado, no _______________ tanto ruido y tráfico.

Elena: Y también había _______________ contaminación que ahora.

43. Raquel: Pepe, ¿cómo _______________ antes tu vecindario?

Pepe: Antes mi vecindario _______________ más parques.

B. Read each paragraph, noting the underlined verb. In the spaces provided, write the appropriate present or imperfect forms of that verb.

44. Cuando era niño me gustaba vivir en la ciudad, pero ahora no. Las ciudades de hoy _______________ más ruidosas que antes. En el pasado, las ciudades también _______________ más limpias.

45. Este año, Carlos y su familia van de vacaciones a Puerto Vallarta. Cuando Carlos era niño, ellos _______________ de vacaciones a Cancún. Allí, Carlos _______________ a nadar en la playa.

46. En la fábricas modernas hay muchos ejemplos de la tecnología moderna. Antes no _______________ tantos aparatos electrónicos, pero no _______________ tanta contaminación.

47. Cuando María era niña, comía cereal en el desayuno. Sus hermanos, Pedro y Paco, _______________ pan y mantequilla, pero ahora _______________ huevos fritos.

C. Imagine that your friends are asking you the following questions. Answer with complete sentences.

48. Bárbara: Cuando eras niño(a), ¿qué tecnología moderna usabas?

Tú: ____

49. Enrique: ¿Por qué usas el correo urgente y no el fax?

Tú: ____

50. Pati: ¿Prefieres vivir en el campo o en la ciudad? ¿Por qué?

Tú: ____

51. Felipe: ¿Cómo eran las cosas antes en tu vecindario?

Tú: ____

D. Write five complete sentences comparing how things were in the past with how things are now.

52. ______________________________

53. ______________________________

54. ______________________________

55. ______________________________

56. ______________________________

PART V Culture

Fill in the missing words.

57. More than 50% of the goods exported by Mexico are produced in ______________, a northern industrial city.

58. There are many ______________ lost in the Gulf of Mexico, with hidden treasures from the Spanish colonial era.

59. Nowadays, ______________ equiped with video cameras and lasers are used to detect sunken galleons.

60. ______________ is a 18th century colonial building built on a hill overlooking Monterrey. Originally, it was the residence of the bishop; today it's a museum.

61. Colonial galleons often traveled in groups to protect themselves from ______________ that roamed the seas.

62. In the Gran Plaza de Monterrey, there is a ______________ by Rufino Tamayo, one of the most famous Mexican artists.

COMPUTER TEST BANK ANSWERS

Part I

Exercise A

1. g
2. j
3. c
4. f
5. b
6. d
7. i
8. a
9. h
10. e

Exercise B

11. b
12. a
13. d
14. c
15. c

Exercise C

16. a
17. b
18. a
19. a
20. c

Part II Oral Proficiency

21-24 Students' responses will vary.

Part III Reading

Exercise A

25. d.
26. c
27. c
28. d
29. a

Exercise B

30. la tecnología
31. ruido
32. por correo electrónico
33. más rápido que
34. tantos

Exercise C

35. ventajas
36. autopistas
37. podía
38. la cámara de video
39. gustaba

Part IV Writing

Exercise A

40. mandar, mando
41. que, como
42. había, menos
43. era, tenía

Exercise B

44. son, eran
45. iban, iba
46. había, había
47. comían, comen

Exercise C

48-51 Answers will vary.

Exercise D

52-56 Answers will vary.

Part V Culture

57. Monterrey
58. sunken galleons
59. robots
60. *El Obispado*
61. pirates
62. sculpture

5 COMPUTER TEST BANK QUESTIONS

PART I

A. Read each sentence and write the letter of the picture it describes in the space provided.

a.

b.

c.

Ja, ja

d.

e.

f.

g.

h.

i.

j.

__**1.** Carlota se rió mucho.
__**2.** Pedro es cantante.
__**3.** Jaime se durmió en el sillón.
__**4.** Gracia le prestó dinero a Elba.
__**5.** Marisol toca la batería.
__**6.** A Antonio le gusta ir al zoológico.
__**7.** Gregorio se aburrió en la conferencia.
__**8.** Nosotros hicimos cola para comprar las entradas para el concierto.
__**9.** Mi amigo me presentó a su novia.
__**10.** Mi abuela se divierte con sus amigas.

B. Read each paragraph and the question that follows. Circle the letter of the correct answer.

11. Ricardo y Mariana tienen un grupo musical. Él toca la batería y ella toca la guitarra eléctrica. Ella también es la cantante del grupo. Van a dar un concierto el viernes en el centro cultural. **¿Quién es la cantante?**
a. Ricardo **c.** Mariana
b. su hermano **d.** Ricardo y Mariana

12. A Emilio no le gustan las lecturas de poesia. Prefiere ir a un concierto o a escuchar a un cómico. Ayer fue a una lectura con un amigo. Emilio se durmió. **¿Adónde prefiere ir Emilio?**
a. al zoológico **c.** al teatro
b. a un concierto o a escuchar a un cómico **d.** al quiosco

13. Toñito toca la trompeta. También le gustaría aprender a tocar la guitarra y el bajo. Mañana es su primer concierto. Va a tocar una canción mexicana. **¿Qué instrumento toca Toñito?**
a. el bajo **c.** la guitarra eléctrica
b. el saxofón **d.** la trompeta

14. Silvio fue a una obra de teatro con una amiga. Se divirtieron muchísimo. Después de la obra, su amiga le presentó a tres actores. Se quedaron hasta tarde hablando. **¿Se aburrieron Silvio y su amiga?**
a. Sí, se aburrieron. **c.** No. Se divirtieron.
b. Se durmieron después de la obra. **d.** Sí. No les gustaron los actores.

15. Carolina y su prima fueron a un restaurante del centro. Allí vieron a una cantante famosa. Después de comer mucho, Carolina tuvo que prestarle dinero a su prima. **¿A quién vieron en el restaurante?**
a. a una cantante famosa **c.** a la prima de Carolina
b. a un músico famoso **d.** a un grupo musical

C. Read each question. Circle the letter of the correct answer.

16. Fuiste con tus amigos al boliche. ¿Qué hicieron allí?
a. Cantamos canciones. **c.** Jugamos al boliche.
b. Jugamos al ajedrez. **d.** Leímos poemas.

17. Tu primo quiere conocer a tu amiga Flor. ¿Qué te dice?
a. ¿Quieres contar chistes? **c.** ¿Me puedes prestar dinero?
b. ¿Me puedes presentar a Flor? **d.** Quiero presentarte a Flor.

18. Juan trabaja en un restaurante. ¿Qué sirvió ayer?
a. Sirvió chistes. **c.** Sirvió boliches.
b. Sirvió hamburguesas. **d.** Sirvió desfiles.

19. Los cómicos eran muy, muy malos. ¿La pasaste bien en el espectáculo?
a. Sí, la pasé bien. **c.** Sí, me reí mucho.
b. No, me aburrí. **d.** Sí, me gustó la obra.

20 ¿Qué vieron tus hermanos en el zoológico?
a. músicos **c.** animales
b. parlantes **d.** micrófonos

PART II Oral Proficiency

When students have finished the vocabulary and grammar sections in the chapter, they are ready to practice what they have learned. The role-playing activities in the *Situaciones* section provide them with this opportunity.

Situaciones

Part II of each Chapter Assessment evaluates the students' oral proficiency. This section may be administered before or after the written part of the test. Working in pairs, students will conduct a conversation entirely in Spanish. Assign one of the four suggested scenarios to each pair of students.

21. Two musicians are discussing plans to form a musical group. They talk about such things as what kind of music their group will play, how many people should be in the group, what instruments they will play, what they need, and what the name of the group will be.

22. Two companions who had gone out to a restaurant and show discuss what they saw and whether or not they enjoyed it.

23. Two friends are talking about a date one of them went on yesterday. The friends discuss where the date was, what he/she did on the date, and whether or not he/she had fun.

24. Two students are discussing a recent visit to a poetry reading. They ask and answer questions about whether or not each liked the reading, what they liked or disliked about it, and if either person met any of the poets.

Part III Reading

A. Read the selection and the questions that follow. Circle the letter of the correct answer.

Gabriel es el cantante del conjunto musical *Los Tigres del Sur*. Ahora está hablando con un representante del centro cultural donde el conjunto va a tocar mañana.

Representante: Gabriel, te presento a Chico, el responsable del equipo de sonido.

Gabriel: Mucho gusto. Para nuestro concierto se necesitan cinco micrófonos y también un parlante para cada músico.

Chico: Es un chiste, ¿verdad? ¿Ustedes no tienen micrófonos?

Gabriel: Los teníamos. Pero ayer los cómicos rompieron cinco.

Chico: Bueno, pienso que tengo cinco micrófonos que te puedo prestar.

Gabriel: Gracias, Chico. La actriz que va a leer poesías no va a romper nada.

25. ¿Qué hace Gabriel en *Los Tigres del Sur*?
- **a.** Es el cómico.
- **b.** Toca el bajo.
- **c.** Es el cantante.
- **d.** Toca la batería.

26. ¿Quién es Chico?
- **a.** la persona que lee poesías
- **b.** el responsable del equipo de sonido
- **c.** el representante del centro cultural
- **d.** un músico

27. ¿Qué se necesita para el espectáculo de mañana?
- **a.** cinco poesías
- **b.** cinco cómicos
- **c.** cinco micrófonos y unos parlantes
- **d.** cinco binoculares

28. Chico piensa que Gabriel le cuenta un chiste. ¿Cuál es el chiste?
- **a.** Que Gabriel es un cómico.
- **b.** Que el conjunto se llama *Los Tigres del Sur.*
- **c.** Que el conjunto no tiene instrumentos.
- **d.** Que el conjunto no tiene micrófonos.

29. ¿Qué pasó con los micrófonos?
- **a.** Los cómicos los rompieron.
- **b.** No eran muy buenos.
- **c.** Se necesitan más para la batería.
- **d.** Gabriel los rompió.

B. Here is what your friends are doing when you meet up with them. Choose the verb phrase to make the best recommendation for each situation.

30. Escuchan un disco compacto de Juan Luis Guerra.
Tu recomendación: Vamos a . . .
- **a.** leer poesías.
- **b.** bailar rock.
- **c.** bailar merengue.

31. Todos se aburren.
Tu recomendación: Vamos a . . .
- **a.** prestar dinero.
- **b.** hacer cola.
- **c.** contar chistes.

32. Dicen que tienen hambre.
Tu recomendación: Vamos a . . .
- **a.** ir a una conferencia.
- **b.** ir a un concierto.
- **c.** ir a un restaurante.

33. Escriben una canción.
Tu recomendación: Vamos a . . .
a. jugar al boliche. **b.** formar un conjunto musical. **c.** visitar el zoológico.

34. Se aburren y quieren conocer más gente.
Tu recomendación: Voy a . . .
a. comprar un micrófono. **b.** reírme. **c.** presentarles a unos amigos.

C. Read the following music review. Circle the word or phrase that best completes each statement.

Ayer fui al ________________**(35)** de *Los Tigres del Sur*. Gabriel Martí cantó la primera canción. Es muy guapo pero es un ________________**(36)** horrible. Tampoco entendí muy bien las canciones porque ________________**(37)** no era muy bueno. Yo ________________**(38)** durante el concierto, no me gustó nada. El espectáculo terminó a las once y media pero yo no ________________**(39)** hasta tarde. Me fui a las diez.

35. tienda/abuelo/concierto/teatro

36. político/novio/turista/cantante

37. el bajo/la guitarra eléctrica/el equipo de sonido/el disco compacto

38. volví/me aburrí/compré el disco compacto/comí

39. me dormí/me quedé/me reí/me gustó

Part IV Writing

A. Your friends are talking about what they did yesterday. Complete each sentence with the correct preterite form of the verb in parenthesis and the necessary indirect object or reflexive pronoun.

40. Pedro: Anoche yo (dormirse) ____________________ a las diez y media. ¿Y Felipe?

Carlitos: Felipe (dormirse) ____________________ a las once.

41. Pilar: Ustedes (aburrirse) ____________________ cuando fueron a pescar ayer, ¿verdad?

Sara y Miguel: No, (divertirse) ____________________ bastante.

42. Jaime y Félix: ¿Qué (tú/pedir/a nosotros) ____________________ ayer?

Diana: (pedir/a ustedes) ____________________ el diccionario de español.

B. Using *se* followed by a form of the underlined verb, write one-sentence classified ads to help Ricardo and Margarita plan for an upcoming cultural festival.

43. Margarita: Buscamos tres cómicos.

____

44. Ricardo: Nuestro equipo de sonido no funciona. Necesitamos otro.

____

45. Margarita: Regalamos veinte entradas.

____

C. You are the stage manager for a concert by *Lola y los Traileros*. Make sure everything is ready for showtime by naming everything you see in the drawing. Use complete sentences.

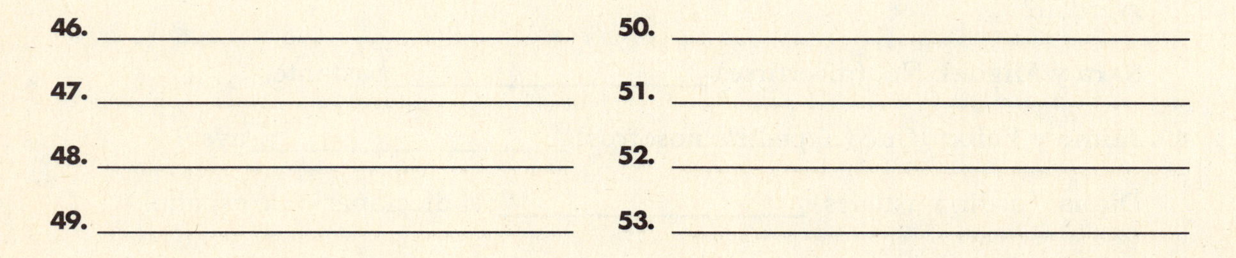

46. ______________________ **50.** ______________________

47. ______________________ **51.** ______________________

48. ______________________ **52.** ______________________

49. ______________________ **53.** ______________________

D. Answer the following questions with one or more complete sentences.

54. ¿Qué hiciste la última vez que saliste con tus amigos? ¿Cómo la pasaron?

____

____

55. ¿Cuál es el último concierto al que fuiste? ¿Cómo es el conjunto o el/la cantante? ¿Qué tipo de música tocan? ¿Cómo la pasaste?

____

____

56. ¿Qué tipo de actividades culturales se necesitan en tu vecindario o escuela? ¿Por qué?

____

____

57. ¿Qué tipo de música te gusta más? ¿Cuál es tu conjunto o cantante favoritoa?

____

____

Part V  Culture

Answer the following questions.

58. What is *Museo de El Barrio*? Why is it important?

____

59. What are two types of Caribbean music that young Latin people like to listen to?

____

60. What roots does the *merengue* have?

____

CAPÍTULO 5 COMPUTER TEST BANK ANSWERS

Part I

Exercise A

1. c
2. f
3. d
4. a
5. j
6. g
7. i
8. b
9. e
10. h

Exercise B

11. c
12. b
13. d
14. c
15. a

Exercise C

16. c
17. b
18. b
19. b
20. c

Part II Oral Proficiency

21-24 Students' responses will vary.

Part III Reading

Exercise A

25. c
26. b
27. c
28. d
29. a

Exercise B

30. c
31. c
32. c
33. b
34. c

Exercise C

35. concierto
36. cantante
37. el equipo de sonido
38. me aburrí
39. me quedé

Part IV Writing

Exercise

40. me dormí/se durmió
41. se aburrieron/nos divertimos
42. nos pediste/Les pedí

Exercise B

43. Se buscan (tres) cómicos
44. Se necesita (un) equipo de sonido.
45. Se regalan (veinte) entradas.

Exercise C

Answers may vary slightly.
Possible answers:

46. Hay una batería.
47. Hay una guitarra eléctrica.
48. Hay un saxofón.
49. Hay dos trompetas.
50. Hay tres micrófonos.
51. Hay dos parlantes.
52. El cantante está cantando.
53. Están haciendo cola.

Exercise D

54-57 Answers will vary.

Part V Culture

58. It's a museum in NYC that shares Latin-American culture with the community. It's the only one of its kind that has a permanent exhibition.
59. Either *salsa*, *merengue*, *cumbia*, *bachata* or *reagge*.
60. African and Spanish roots.

CAPÍTULO 6 COMPUTER TEST BANK QUESTIONS

PART I

A. Read each sentence and write the letter of the picture it describes in the space provided.

a.

b.

c.

d.

e.

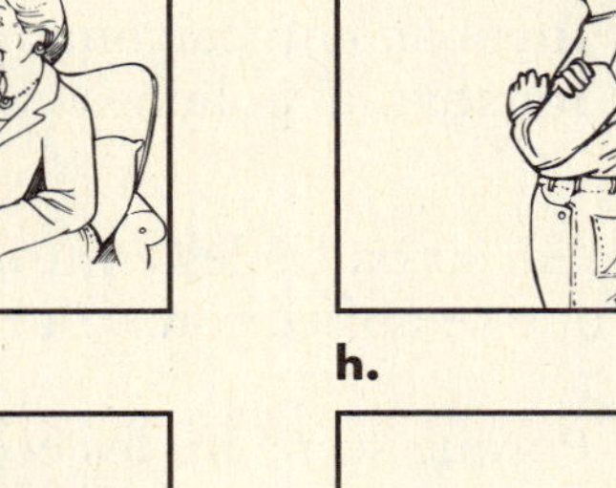

f.

g.

h.

i.

j.

__ **1.** Me llevaba muy bien con mis abuelos.
__ **2.** Todos los veranos íbamos a pescar.
__ **3.** Mis padres se casaron en 1959.
__ **4.** Verónica y su novio se abrazan continuamente.
__ **5.** Mariana siempre salta a la cuerda con sus amigas.
__ **6.** Elena y su hermano se pelean mucho.
__ **7.** Manuel tiene muchos muñequitos.
__ **8.** Un recuerdo de mi niñez es mi primera colección de sellos.
__ **9.** Ayer me compré un carrito nuevo.
__ **10.** A Eva le gusta jugar al escondite.

B. Read each paragraph and the question that follows. Circle the letter of the correct answer.

11. Cuando Luz era niña les contaba cuentos enormemente largos a sus amigos. También les contaba que creció en un pueblo en el campo de España y que sus abuelos tenían una granja. **¿Dónde creció Luz?**
a. en un pueblo pesquero
b. en un pueblo costero
c. en un pueblo en el campo
d. en una ciudad

12. Antes, Manuel coleccionaba sellos. Coleccionó hasta doscientos sellos. Pero un año después se aburrió de coleccionar sellos y empezó a coleccionar monedas. **¿Cuántos sellos coleccionó Manuel?**
a. trescientos
b. doscientos
c. cien
d. seiscientos

13. José se enojó con su hermana. Jugaban con su colección de muñequitos y ella rompió el muñequito favorito de José. **¿Qué hacían José y su hermana?**
a. Jugaban con carritos.
b. Jugaban con su colección de muñequitos.
c. Jugaban con calcomanías.
d. Jugaban al boliche.

14. Cuando Lucía fue a acampar con su familia, su padre les contó cuentos de miedo. Ella y sus hermanos tenían tanto miedo que se abrazaron. **¿Por qué tenían miedo Lucía y sus hermanos?**
a. Porque vieron los fuegos artificiales.
b. Porque tuvieron malos recuerdos.
c. Porque su padre les contó cuentos de miedo.
d. Porque nacieron en la montaña.

15. Emilio estaba muy cansado. Jugó al rescate con sus amigos toda la tarde. Después fueron al muelle a ver los barcos. **¿A qué jugó Emilio con sus amigos?**
a. al rescate
b. a las canicas
c. a los barcos
d. a la cuerda

C. Read each question. Circle the letter of the most appropriate answer.

16. Ernesto y tú se pelean continuamente. ¿Cómo es tu relación con él?
a. Nos contamos cuentos.
b. Me llevo mal con él.
c. Nos abrazamos mucho.
d. Coleccionamos sellos juntos.

17. Tu hermana y tú se llevan maravillosamente. ¿Por qué?
a. Nos enojamos mucho.
b. Nos peleamos continuamente.
c. Nos queremos mucho.
d. Nos columpiamos mucho.

18. Martín come todos los días a las dos en punto. ¿Por qué?
a. Es su costumbre.
b. Contó cuentos de miedo.
c. Se peleó con su hermano.
d. Le llamó su novia.

19. Alicia nació en un pueblo pesquero. ¿Qué hacía cuando era pequeña?
a. Paseaba por la ciudad.
b. Pasaba mucho tiempo en los conciertos.
c. Iba a pescar con su abuelo.
d. Viajaba en avión.

20. Vas a contar un recuerdo de tu niñez. ¿Cómo empiezas?
a. Enseguida . . .
b. Hace una semana que . . .
c. El año pasado . . .
d. Cuando era pequeño(a) . . .

COMPUTER TEST BANK QUESTIONS

Part II Oral Proficiency

When students have finished the vocabulary and grammar sections in the chapter, they are ready to practice what they have learned. The role-playing activities in the *Situaciones* section provide them with this opportunity.

Situaciones

Part II of each Chapter Assessment evaluates the students' oral proficiency. This section may be administered before or after the written part of the test. Working in pairs, students will conduct a conversation entirely in Spanish. Assign one of the four suggested scenarios to each pair of students.

21. Two classmates are discussing childhood friends. They ask and answer questions regarding who their best friend was, how they got along, what they used to do with that friend, when, and where.

22. Two students are discussing where they grew up. It turns out that they both grew up in faraway places under unusual circumstances. They take turns describing where and how they grew up.

23. Two friends are talking about the unusual things they used to collect as kids. They ask and answer questions about what they collected, where they got the objects, how many they had, and why they liked collecting them.

24. Two classmates are discussing the first time they each did something. They talk about what they did and what it was like. For example: *The first time I saw fireworks; The first time I went camping, etc.*

Part III Reading

A. Read the selection and the questions that follow. Circle the letter of the correct answer.

Para una tarea de la escuela, Tina les preguntó a sus abuelos cómo se conocieron. Sus abuelos le contaron sus recuerdos.

Tina: Quiero saber cómo se conocieron, abuelitos.

Abuela: Pues yo vivía en Aguascalientes, un pueblo costero, y tu abuelo vivía en Ponches, un pequeño pueblo en el campo.

Abuelo: Recuerdo que iba los sábados a Aguascalientes a comprar pescado. Un día, empecé a hablar con una muchacha muy bonita que vendía pescado y...

Tina: ¿Y se enamoraron enseguida?

Abuelo: No, no, no. ¡Nos peleamos! El pescado era caro.

Abuela: ¿Cómo? ¡Era barato! Pero nos conocimos y tres meses después nos llevábamos maravillosamente. Nos casamos un año después.

25. ¿Qué quiere saber Tina de sus abuelos?
- **a.** Dónde nacieron.
- **b.** Dónde vivían.
- **c.** Cómo era la vida cuando ellos eran jóvenes.
- **d.** Cómo se conocieron.

26. ¿Dónde vivía su abuela?
- **a.** en un pueblo costero
- **b.** en un pueblo pesquero
- **c.** en un pueblo en el campo
- **d.** en una granja

27. ¿Qué les preguntó a sus abuelos?
- **a.** Si se peleaban mucho.
- **b.** Si se enamoraron enseguida.
- **c.** Si el pescado era caro.
- **d.** Cuánto costaba el pescado.

28. ¿Qué hicieron los abuelos después de empezar a hablar?
- **a.** Se enamoraron.
- **b.** Se contaron cuentos.
- **c.** Se abrazaron.
- **d.** Se pelearon.

29. ¿Cómo se llevaban tres meses después de conocerse?
- **a.** enormemente
- **b.** bien
- **c.** maravillosamente
- **d.** se casaron

B. You are at the playground. You overhear two girls talking about what they are going to do. Circle the word or phrase that best completes each statement.

Laura: Vamos a jugar a las ______________________ **(30)**.

Silvia: No, prefiero ir de ______________________ **(31)**. Mi abuelo me compró una ______________________ **(32)** nueva. O también podemos saltar ____________ **(33)**.

Laura: ¡Mira! Encontré otra moneda para tu ______________________ **(34)**.

Silvia: Está bien. Vamos a mi casa.

30. (galletas, camisetas, muñecas, columpios)

31. (pasar, pesca, pagar, pelearnos)

32. (canicas, caña de pescar, sello, columpio)

33. (a la cuerda, al escondite, a las canicas, al rescate)

34. (muelle, cuento, recuerdo, colección)

C. Read the following dialog between two long-time friends talking about their childhood. Then look at the word or phrase choices for each numbered blank space. Circle the word or phrase that completes each sentence in the dialog.

Mauricio: ¿Recuerdas cuando nosotros ________________**(35)** doce años?

Israel: Sí. Yo ________________**(36)** muy bien con tus hermanos.

Mauricio: Sí. Pero un día ________________**(37)** de mi hermana.

Israel: Y tus hermanos ________________**(38** conmigo.

Mauricio: ¡Y ayer ________________**(39)** con ella!

35. tenemos/teníamos/tuvimos

36. te llevabas/me llevaba/me llevo

37. te enamoraste/te enamorabas/te enamoras

38. se contaron cuentos/se enojaron/te enojaste

39. te casabas/te casas/te casaste

Part IV Writing

A. Celia and Claudio are brother and sister. But sometimes they have different memories of their childhood. Complete each sentence using the correct preterite or imperfect form of the underlined verb.

40. Celia: Nos <u>peleábamos</u> continuamente.

Claudio: No es verdad. __________________________ sólo una vez.

41. Claudio: Esa Navidad <u>jugué</u> a las canicas con tío Pepe.

Celia: Tú siempre __________________________ a las canicas.

42. Celia: <u>Me contabas</u> chistes con frecuencia.

Claudio: A ti soló __________________________ chistes el día que cumpliste 12 años.

43. Celia: <u>Te llevabas</u> bien con la prima Estefanía.

Claudio: No. __________________________ muy mal con ella.

B. Complete each sentence using the preterite form of one of the verbs belo.

pelearse, ayudarse, contarse, escribirse, llmarse, conocerse

44. Ayer, mi amigo y yo ________________ con la tarea de español.

45. Ana y Luis son novios. El fin de semana ellos ________________ por teléfono siete veces.

46. Mis padres se quieren mucho, pero anoche ________________.

47. Mi novia y yo ________________ en la playa. Nos llevamos estupendamente.

48. Leonardo y sus amigos fueron de campamento. Por la noche ________________ cuentos de miedo.

49. Durante las vacaciones, Julia fue a casa de sus abuelos. Allí no pudo ver a su novio, pero ________________ cartas todos los días.

C. Complete the following dialog about two childhood friends who run into each other at an airport in California. Fill in the correct preterite or imperfect form of the verb in parentheses.

Alejandra: ¡Eduardo! ¿Cómo estás?

Eduardo: ¡Qué sorpresa! Yo pensaba que tú (vivir) ________________**(50)** en Santo Domingo.

Alejandra: No, antes (vivir) ________________**(51)** allí, pero el mes pasado (ir) ________________**(52)** a vivir a Nueva York. Estoy aquí de vacaciones. ¿Qué haces tú aquí?

Eduardo: Antes (ser) ________________**(53)** agente de viajes, pero ahora trabajo en este aeropuerto. ¿Recuerdas que yo siempre (decir) ________________**(54)** que (querer) ________________**(55)** trabajar en un aeropuerto?

Alejandra: Sí, felicidades. Y yo de niña siempre (escribir) ________________**(56)** cuentos de miedo.

Eduardo: Sí, y también (contar) ________________**(57)** los mejores chistes. (poder) ________________**(58)** escucharte todo el día. ¿Qué haces ahora?

Alejandra: Soy escritora. El año pasado (mandar) ________________**(59)** un cuento a un escritor famoso y le (gustar) ________________**(60)** mucho. Ahora escribo cuentos para niños. ¡El mes pasado (vender) ________________**(61)** mi primer libro!

Eduardo: Felicidades a ti también. Aquí tienes mi dirección. Por favor, mándame un libro para mis hijos.

D. Answer the following questions in complete sentences.

62. ¿A qué jugabas cuando tenías diez años?

____

63. ¿Con quién te llevabas maravillosamente? ¿Por qué?

____

64. ¿Con quién no te llevabas muy bien? ¿Por qué?

____

65. ¿Qué juego o actividad te gustaba más? ¿Por qué?

____

Part V Culture

Answer the following questions.

66. What other country shares the island of Hispaniola with the Dominican Republic?

____

67. What is the capital of the Dominican Republic?

____

68. Describe the geography of the Dominican Republic? Why?

____

69. During what two Dominican festivities can you see fireworks?

____

70. When do Dominicans celebrate Carnival?

____

71. What does every town and city have for Carnival?

____

COMPUTER TEST BANK ANSWERS

Part I

Exercise A

1. d
2. i
3. c
4. g
5. f
6. e
7. a
8. h
9. j
10. b

Exercise B

11. c
12. b
13. b
14. c
15. a

Exercise C

16. b
17. c
18. a
19. c
20. d

Part II Oral Proficiency

21-24 Students' responses will vary.

Part III Reading

Exercise A

25. d
26. a
27. b
28. d
29. c

Exercise B

30. muñecas
31. pesca
32. caña de pescar
33. a la cuerda
34. colección

Exercise C

35. teníamos
36. me llevaba
37. te enamoraste
38. se enojaron
39. te casaste

Part IV Writing

Exercise A

40. Nos peleamos
41. jugabas
42. te conté
43. me llevaba

Exercise B

44. nos ayudamos
45. se llamaron
46. se pelearon
47. nos conocimos
48. se contaron
49. se escribieron

Exercise C

50. vivías
51. vivía
52. fui
53. era
54. decía
55. quería
56. escribía
57. contabas
58. Podía
59. mandé
60. gustó
61. vendí

Exercise D

62-65 Answers will vary.

Part V Culture

66. Haiti
67. Santo Domingo
68. The Dominican Republic is one of the world's most geographically diverse nations. It consists of more than 20 different geographic regions. Some examples a*re tropical forests, deserts, beaches, and fertile, agricultural land.
69. Independence Day and New Year's Eve.
70. The whole month of February, especially on 27 Feb. the Day of Independence
71. Typical masks.S

COMPUTER TEST BANK QUESTIONS

PART I

A. Read each sentence and write the letter of the picture it describes in the space provided.

a.

b.

c.

d.

e.

f.

g.

h.

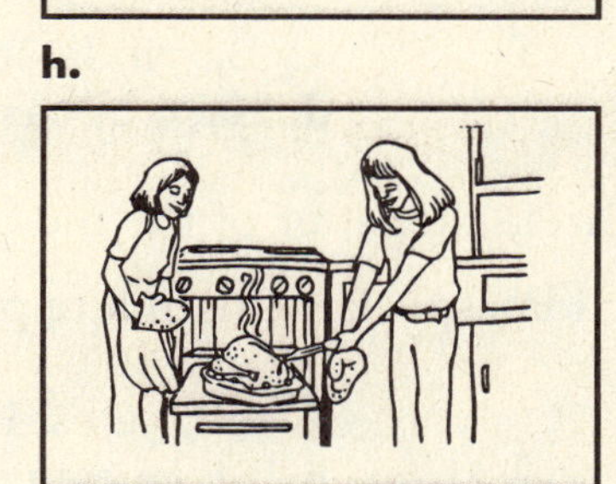

i.

j.

__ **1.** El paquete está abierto.
__ **2.** Mi fruta favorita es la sandía.
__ **3.** Luis sacó la basura.
__ **4.** Roberto barrió la cocina.
__ **5.** A Susana le gusta la pasta con salsa de tomate
__ **6.** Eva y Gloria prepararon un pollo asado.
__ **7.** A Rosa le gustan los huevos fritos.
__ **8.** Ramón lavó los platos.
__ **9.** La mesa está puesta.
__ **10.** El 4 de julio siempre vamos a ver los fuegos artificiales.

COMPUTER TEST BANK QUESTIONS

B. Read each sentence and the question that follows. Circle the letter of the correct answer.

11. Cuando Sonia estuvo en París comió su primera tortilla. **¿Qué comió Sonia?**
a. tortilla
b. empanadas
c. torta
d. huevos duros

12. Antes de cenar, Alberto trajo el mantel y Laura puso la mesa. **¿Qué hizo Laura?**
a. Trajo el mantel.
b. Limpió la mesa.
c. Recogió la mesa.
d. Puso la mesa.

13. Hace dos años que Lucía conoce a su novio. Se conocieron en una fiesta. **¿Cuánto tiempo hace que Lucía conoce a su novio?**
a. Hace dos días.
b. Hace dos años.
c. Hace dos semanas.
d. Hace dos meses.

14. Manolo fue a la tienda para comprar almendras y Raúl fue al supermercado para comprar cebollas. **¿Qué compró Manolo?**
a. almendras
b. cebollas
c. ají
d. harina

15. Después de comer, Juan recogió la mesa y Emilio lavó los platos. **¿Qué hizo Juan?**
a. Limpió la mesa.
b. Recogió la mesa.
c. Barrió la cocina.
d. Sacó la basura.

C. Listen to each question. Circle the letter of the most appropriate answer.

16. Estás preparando una comida especial. Cristina te pregunta si cortaste la cebolla. ¿Qué dices?
a. Sí, ya está limpia.
b. Sí, ya está hecha.
c. No, ya está abierta.
d. Sí, ya está cortada.

17. Para hacer una ensalada necesitas comprar aceite de oliva. ¿Cuánto aceite de oliva vas a comprar?
a. una caja
b. un paquete
c. una botella
d. un gramo

18. Quieres hacer huevos duros. ¿Qué necesitas para cocinar los huevos?
a. un molde
b. una olla
c. un mantel
d. un paquete

19. A nosotros no nos gusta la carne. ¿Qué comida pedimos?
a. cordero asado
b. pollo
c. hamburguesas
d. verduras al vapor

20. Josefina llegó a Argentina dos años antes que su hermano. Él llegó el mes pasado. ¿Cuánto tiempo hace que Josefina llegó a Argentina?
a. Hace un año.
b. Hace dos años.
c. Hace tres años.
d. Hace cuatro años.

Part II Oral Proficiency

When students have finished the vocabulary and grammar sections in the chapter, they are ready to practice what they have learned. The role–playing activities in the *Situaciones* section provide them with this opportunity.

Situaciones

Part II of each Chapter Assessment evaluates the students' oral proficiency. This section may be administered before or after the written part of the test. Working in pairs, students will conduct a conversation entirely in Spanish. Assign one of the four suggested scenarios to each pair of students.

21. Two friends are cooking a special dinner for another friend. They discuss what food he or she likes to eat and decide upon a menu.

22. Two students are discussing how they celebrate the holidays. They ask and answer questions about their favorite holidays, what traditional foods, if any, they eat then, and if they exchange presents.

23. Two friends are planning a picnic for four. They discuss what they will bring and who will prepare what.

24. Two friends are comparing chores. They ask and answer questions about what they do at home and which are their favorite and least favorite chores.

Part III Reading

A. Read the selection and the questions that follow. Circle the letter of the correct answer to each question.

Para la celebración de Pesach, Ana preparó una comida con las recetas de su abuela. En una olla grande hirvió verduras para la sopa y luego puso un cordero en el horno. También hizo una ensalada de pepino, ají y tomate. Luego, preparó un postre tradicional: una torta hecha con harina, huevos, nueces y azúcar. Finalmente, barrió la cocina y luego puso la mesa.

25. ¿Para qué celebración preparó la comida Ana?
- **a.** para Navidad
- **b.** para su cumpleaños
- **c.** para Pesach
- **d.** para su abuela

26. ¿Qué hizo después de hervir las verduras para la sopa?
- **a.** Puso el cordero en el horno.
- **b.** Calentó la comida.
- **c.** Preparó la ensalada.
- **d.** Cocinó el pavo.

27. ¿Qué puso en la ensalada?
- **a.** pepino, ají y tomate
- **b.** aceitunas, pepino y lechuga
- **c.** almendras y huevos
- **d.** harina, nueces y azúcar

28. ¿Qué hizo de postre?
- **a.** una torta de manzana
- **b.** unas galletitas
- **c.** una torta con nueces
- **d.** una ensalada de fruta

29. ¿Qué hizo antes de poner la mesa?
- **a.** Trajo el mantel.
- **b.** Limpió la mesa.
- **c.** Barrió la cocina.
- **d.** Sacó la basura.

B. Sancho, Pancho, and Moncho made a special breakfast for their parents. Circle the word that best completes each sentence.

Sancho, Pancho y Moncho ________________ **(30)** un desayuno para sus padres. Primero cocinaron una tortilla. Sancho ________________ **(31)** los huevos, Pancho ________________**(32)** el aceite de oliva y Moncho ________________**(33)** el ají y los tomates. Después, Sancho y Pancho ________________ **(34)** la mesa y Moncho trajo el pan, la mantequilla y el jugo de naranja.

30. preparaste/cocinamos/prepararon/asaron

31. puso/asó/revolvió/revuelto

32. hizo/calentó/limpió/trajeron

33. abrió/recogió/hizo/cortó

34. pusimos/pusieron/sacaron/hicieron

C. Read the following dialog between two friends who bump into each other after class. Circle the word that best completes each sentence.

Ramón: ¡María! ¿Dónde ________________ **(35)** ayer a las seis?

María: ________________ **(36)** en casa. ¿Por qué?

Ramón: Porque preparamos una fiesta de cumpleaños para Marcos pero no ________________ **(37)** encontrarte.

María: ¿ ________________ **(38)** Isabel allí?

Ramón: No, no ________________ **(39)** venir con nosotros.

35. viniste/estuve/estuviste

36. Estuve/Estuvo/Fui

37. quisimos/pusimos/pudimos

38. Estuve/Estuviste/Estuvo

39. quisieron/quiso/supo

Part IV Writing

A. Complete each dialog using the correct preterite form of the underlined verb.

40. Madre: Manolo, ¿trajiste el azúcar para la torta?

Manolo: Sí. Lo ________________ en una bolsa blanca.

41. Carolina: ¿Dónde estuvieron anoche?

Amigas: ________________ en el cine.

42. Celia: Perdón, Pablo. No pude ir a tu fiesta ayer.

Pablo: Entonces, ¿cómo ________________ ir con tus amigas al restaurante Las Pampas?

43. Ramón: ¿Vinieron tus primos el 4 de julio?

Ana: No. Sólo ________________ una prima.

44. Roberto: ¿Tuviste que ir al hospital con tu hermano?

Adolfo: No, él ________________ que ir al médico.

B. Read each sentence, noting the verbs in parenthesis. In the spaces provided, write the appropriate form of the past participle of each verb.

45. Miriam tiene todo (preparar) ______________: los huevos están (revolver) ______________, la salsa de tomate está (calentar) ______________ y la mesa está (poner) ______________.

46. ¡Antonio! La basura no está (sacar) ______________.

47. ¡Marta! El refrigerador está (abrir) ______________, los platos no están (lavar) ______________ y la mesa no está (recoger) ______________.

C. Read each sentence noting the underlined verb. In the spaces provided, write the appropriate preterite form of that verb.

48. Nieves: ¡Hol, Felipe! ¿Pudiste ir al concierto el viernes?

Felipe: No, no ______________ ir al concierto porque tuve que ir al médico.

49. Sandra: Raúl, ¿preparaste la ensalada?

Raúl: Sí, ya la ______________.

50. Mirna: ¿Pusiste la sandía en el refrigerador?

Isabel: Sí, la ______________ en el refrigerador.

51. Sara: ¿Supiste hacer la tarea?

Laura: No, no la ______________ hacer.

52. Carlos: ¿Estuvieron tu hermano y tú en la fiesta?

Íñigo: Nosotros no ______________ en la fiesta.

D. Imagine that your friend is asking you the following question. Answer with complete sentences.

53. María: ¿Qué hiciste para Navidad?

Tú: ____

54. Rosa: ¿Dónde estuviste el fin de semana pasado?

Tú: ____

55. Manolo: ¿Cuánto tiempo hace que estudias español?

Tú: ____

56. Francisco: ¿Cuánto tiempo hace que vives en tu vecindario?

Tú: ____

E. Look at the drawings below. Write a complete sentence to describe each picture, using past participles.

57. ______________________

____

58. ______________________

____

59. ______________________

____

60. ______________________

____

Part V Culture

Fill in each space with the correct answer

61. The language, architectural styles, and foods of Argentina, reflect its ______________ heritage.

62. ______________ is a drink made from the leaves that grow in the northeastern provinces of Argentina.

63. ______________ are fried or baked turnovers stuffed with meat or vegetables.

64. Instead of using *tú* to talk in the second person singular, Argentinians use ____________.

65. A very popular dessert in Argentina is ______________, milk cooked with sugar until it is thick.

66. ______________ is a soup made with corn, beef, potatoes, and other vegetables.

7 COMPUTER TEST BANK ANSWERS

JUNTOS 2 ■ CAPÍTULO 7

Part I

Exercise A

1. e
2. c
3. g
4. a
5. j
6. h
7. d
8. f
9. i
10. b

Exercise B

11. a
12. d
13. b
14. a
15. b

Exercise C

16. d
17. c
18. b
19. d
20. b

Part II Oral Proficiency

21-24 Students' responses will vary.

Part III Reading

Exercise A

25. c
26. a
27. a
28. c
29. c

Exercise B

30. prepararon
31. revolvió
32. calentó
33. cortó
34. pusieron

Exercise C

35. estuviste
36. Estuve
37. pudimos
38. Estuvo
39. quiso

Part IV Writing

Exercise A

40. traje
41. Estuvimos
42. pudiste
43. vino
44. tuvo

Exercise B

45. preparado, revueltos, calentada, puesta
46. sacada
47. abierto, lavados, recogida

Exercise C

48. pude
49. preparé
50. puse
51. supe
52. estuvimos

Exercise D

53-56 Answers will vary.

Exercise E

57. Las cajas están abiertas.
58. La mesa está puesta.
59. Las cebollas están cortadas.
60. Los platos están lavados.

Part V Culture

61. *Italian*
62. *Yerba mate mate*
63. *Empanadas*
64. *vos*
65. *dulce de leche*
66. *Locro*

8 COMPUTER TEST BANK QUESTIONS

PART I

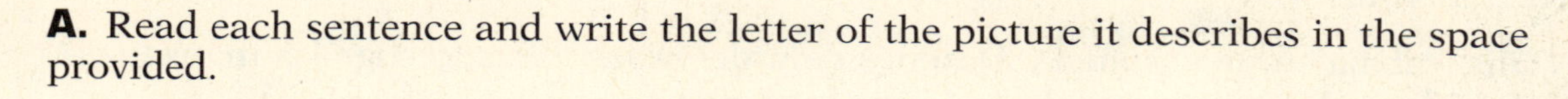

A. Read each sentence and write the letter of the picture it describes in the space provided.

a.

b.

c.

d.

e.

f.

g.

h.

i.

j.

__ **1.** Hay un caballo en el establo.
__ **2.** El trabajador regó las plantas.
__ **3.** El jardinero recoge la fruta.
__ **4.** Marisa da de comer a la vaca.
__ **5.** El gallo está en el granero.
__ **6.** El conejo está en el huerto.
__ **7.** El granjero está cuidando las ovejas.
__ **8.** Teresa se acuesta temprano.
__ **9.** Rita sabe manejar un camión.
__ **10.** El cocinero preparó un asado.

B. Read each paragraph and the question that follows. Circle the letter of the correct answer.

11. Luis trabaja en una estancia. Después de ordeñar las vacas, recoge las manzanas. **¿Qué hace Luis después de ordeñar las vacas?**
a. Recoge las manzanas.
b. Maneja el camión.
c. Cepilla los caballos.
d. Recoge la cosecha.

12. Yo vivo en la ciudad y me acuesto tarde. Mis tíos viven en una estancia. Tienen que acostarse a las nueve de la noche. **¿Dónde viven mis tíos?**
a. en una casa
b. en un granero
c. en una estancia
d. en la ciudad

13. Elsa trabaja en una estancia. Tiene que limpiar los establos y dar de comer a los animales. Pero a ella le gusta más cepillar los caballos.
¿Qué prefiere hacer Elsa?
a. montar a caballo
b. limpiar los establos
c. dar de comer a los animales
d. cepillar los caballos

14. Es tiempo de recoger la cosecha. Nuestros vecinos van a recoger el trigo y nosotros vamos a recoger el maíz. **¿Qué van a recoger los vecinos?**
a. el maíz
b. el trigo
c. la caña de azúcar
d. la fruta

15. Los trabajadores se acuestan temprano. Se levantan a las seis de la mañana, cuando canta el gallo. **¿Cuándo tienen que levantarse los trabajadores?**
a. cuando canta el gallo
b. cuando ven el sol
c. cuando se acuestan temprano
d. cuando oyen la hora

C. Read each sentence and the question that follows. Circle the letter of the most appropriate answer.

16. Juan tiene que dar de comer a los animales a las cinco de la mañana. ¿Qué consejo le das?
a. Es importante acostarse tarde.
b. Es mejor comer mucho.
c. Es necesario ducharse por la mañana.
d. Es importante acostarse temprano.

17. Necesitas llevar el cerdo a otra estancia. ¿Qué dices?
a. Es importante pasear en carruaje.
b. Es divertido montar un caballo.
c. Es práctico saber manejar un camión.
d. Es necesario cultivar la tierra.

18. Los trabajadores tienen hambre. ¿Qué harán?
a. Cuidarán el ganado.
b. Cepillarán los caballos.
c. Recogerán la cosecha.
d. Harán un asado.

19. Tienes que ordeñar las vacas. ¿Cuándo lo haces?
a. para la semana
b. por la mañana
c. para la tarde
d. por tres meses

20. Las plantas necesitan agua. ¿Qué harás?
a. Usaré el cepillo.
b. Usaré la segadora.
c. Regaré las plantas.
d. Recogeré el trigo.

Part II Oral Proficiency

When students have finished the vocabulary and grammar sections in the chapter, they are ready to practice what they have learned. The role-playing activities in the *Situaciones* section provide them with this opportunity.

Situaciones

Part II of each Chapter Assessment evaluates the students' oral proficiency. This section may be administered before or after the written part of the test. Working in pairs, students will conduct a conversation entirely in Spanish. Assign one of the four suggested scenarios to each pair of students.

21. Two business partners are planning to start an *estancia.* They discuss such things as what they will do there, what animals they will take care of, and what crops they will plant.

22. Two classmates are discussing things that they find difficult to do and give reasons why. They then talk about things they find easy to do.

23. A young *gaucho* is talking to an old *gaucho.* They compare the old *gaucho* lifestyle with the modern *gaucho* lifestyle. They discuss which time they prefer, and why.

24. Two students are talking about a recent visit they made to an *estancia.* They discuss what they liked most and least about the time they spent there.

Part III Reading

A. Read the selection and the questions that follow. Circle the letter of the correct answer.

Hace un año que Raquel vive con su hermana Rafaela en la estancia Los Sauces, en Areco, Argentina.

Rafaela: ¡Qué emocionante! Hoy fue el primer día de recoger la cosecha. Recogimos trigo.

Raquel: Pues yo cepillé los caballos y ordeñé las vacas. Es necesario cepillar los caballos y ordeñar las vacas todos los días. ¡Estoy cansadísima!

Rafaela: ¿Por qué no te acuestas temprano?

Raquel: Porque tengo que ayudar al cocinero a preparar la cena.

Rafaela: Después de la cena yo tengo que ayudar a los trabajadores a lavar los platos.

Raquel: Hasta luego, Rafaela.

25. ¿Cuánto tiempo hace que Raquel vive con Rafaela en la estancia?
- **a.** Hace dos años.
- **b.** Hace un mes.
- **c.** Hace un año.
- **d.** Todos los días.

26. ¿Por qué se emocionó Rafaela?
- **a.** Tuvo que recoger los tomates.
- **b.** Estuvo en el campo recogiendo la cosecha.
- **c.** Tuvo que ordeñar las vacas.
- **d.** Tuvo que levantarse tarde.

27. ¿Cuándo es necesario ordeñar las vacas?
- **a.** Dos veces por día.
- **b.** Una vez por semana.
- **c.** Todos los días.
- **d.** Por la tarde.

28. ¿Por qué Raquel no se puede acostar temprano?
- **a.** Porque tiene que recoger la cosecha.
- **b.** Porque no está cansada.
- **c.** Porque tiene que hacer la tarea.
- **d.** Porque tiene que ayudar al cocinero.

29. ¿Qué tiene que hacer Rafaela después de la cena?
- **a.** manejar el tractor
- **b.** regar las plantas
- **c.** dar de comer a los patos
- **d.** lavar los platos

B. Read the following paragraph about what you can do at estancia La Luna. Circle the word or phrase that best completes each sentence.

En la estancia La Luna pueden ayudar a los _______________ **(30)** a recoger la cosecha. _______________ **(31)** recoger la cosecha dos veces por año. Si quieren recoger la cosecha tienen que levantarse _______________ **(32)**. _______________ **(33)** no acostarse tarde y tomar un buen desayuno. También, en la estancia La Luna pueden ayudar al jardinero en el _______________ **(34)**.

30. cocineros/camiones/trabajadores

31. Es fácil/Es necesario/Es interesante

32. tarde/por la noche/temprano

33. Es difícil/Es mejor/Es divertido

34. granero/corral/huerto

C. Read the following incomplete sentences. Circle the word that best completes each sentence.

35. El pan se puede hacer con harina de maíz o de _______________.
(trigo, semilla, planta, algodón)

36. Para producir azúcar, hay que recoger _______________.
(la tierra, los animales, la caña de azúcar, el ganado)

37. Después de recoger la cosecha, pondremos el trigo en _______________ .
(el huerto, el granero, el corral, el establo)

38. Para hacer un asado argentino es necesario tener _______________.
(una gallina, una parrilla, una semilla, una estancia)

39. _______________ es para regar las plantas.
(La manguera, La segadora, El árbol, El cepillo)

Part IV Writing

A. Read the following passage and fill in the blanks with the correct word from below. Not all the words are used and you may use a word only once.

tarde, temprano, es fácil, para, por, doma, pampa, es importante, cepillo, tractor

Hace muchos años que Guillermo vive y trabaja en una estancia en la _________ **(40)**. Aquí tienes su historia.

"Tengo setenta años y muchos recuerdos. En estos setenta años aquí hice todo tipo de trabajos, desde jardinero hasta capataz. _______________ **(41)** trabajar en una estancia es necesario levantarse _______________ **(42)** todos los días y también _______________ **(43)** saber manejar un _______________ **(44)**."

JUNTOS 2 ■ CAPÍTULO 8

B. Write a complete sentence saying what each of the following people will do, using the future tense.

45. (la cocinera) Ella ______________________________.

46. (el granjero) Él ______________________________.

47. (los trabajadores) Nosotros ______________________________.

48. (el jardinero) Yo ______________________________.

C. Complete the following dialog between two cooks on a *estancia* using *por* or *para*.

Omar: ¡No voy a trabajar en esta cocina un minuto más! ¡No hay nada!

Raúl: ¿ ______________ **(49)** qué estás enojado ahora?

Omar: Porque tenemos que preparar una torta y no tenemos azúcar. Y es ______________ **(50)** el cumpleaños del jardinero.

Raúl: ¿Cuándo es la fiesta?

Omar: ¡Es hoy ______________ **(51)** la tarde!

Raúl: Voy a pasear ______________**(52)** la estancia para buscar al capataz.

Omar: No, es mejor llamar al capataz ______________**(53)** teléfono.

D. Imagine that you are a farmer working on an *estancian.* A guest is asking you the following questions. Answer in complete sentences.

54. ¿Qué animales hay en el corral?

____

55. ¿Cuál es tu trabajo en la estancia?

____

56. ¿A qué hora te acuestas? ¿Por qué?

____

57¿Para qué es la segadora?

____

58. ¿Qué sembraras este año?

____

59. ¿Cuánto tiempo hace que trabajas en esta estancia?

____

E. Look at the drawings below. Write a complete sentence describing each picture.

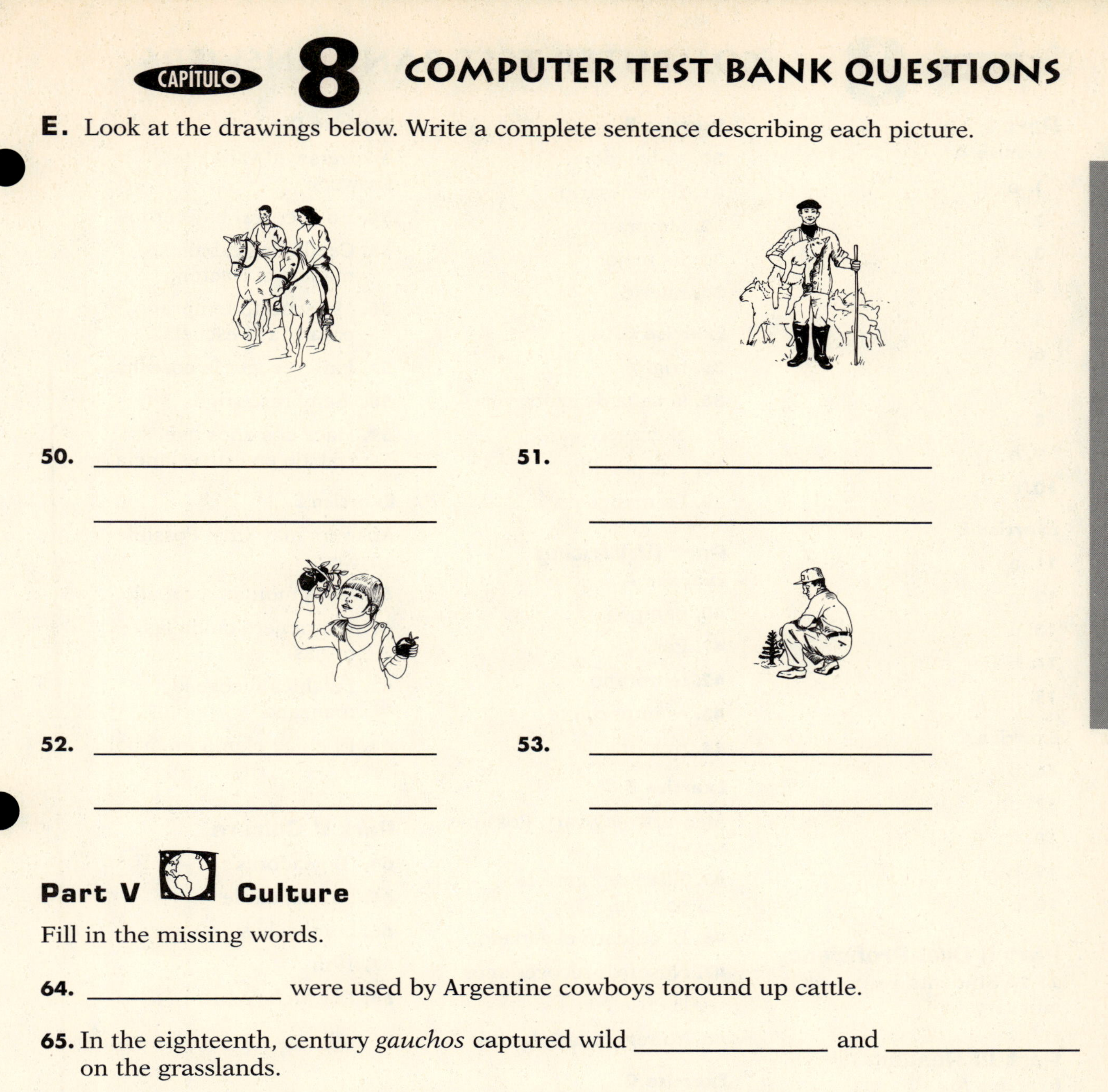

50. ______________________________

____

51. ______________________________

____

52. ______________________________

____

53. ______________________________

____

Part V Culture

Fill in the missing words.

64. ________________ were used by Argentine cowboys toround up cattle.

65. In the eighteenth, century *gauchos* captured wild ________________ and ________________ on the grasslands.

66. The typical clothing worn by the *gaucho* is a *poncho,* a *sombrero* and ________________, which are a pair of big pants.

67. In the ________________ century many private owners purchased land on the pampas and started hiring gauchos to work in the ranches.

68. The title of the novel written by José Hernández in 1872 about the lifestyle of the gauchos is ________________.

COMPUTER TEST BANK ANSWERS

Part I

Exercise A

1. h
2. d
3. a
4. j
5. g
6. c
7. i
8. f
9. b
10. e

Exercise B

11. a
12. c
13. d
14. b
15. a

Exercise C

16. d
17. c
18. d
19. b
20. c

Part II Oral Proficiency

21-24 Students' responses will vary.

Part III Reading

Exercise A

25. c
26. b
27. c
28. d
29. d

Exercise B

30. trabajadores
31. Es necesario
32. temprano
33. Es mejor
34. huerto

Exercise C

35. trigo
36. la caña de azúcar
37. el granero
38. una parrilla
39. La manguera

Part IV Writing

Exercise A

40. pampa
41. Para
42. temprano
43. es importante
44. tractor

Exercise B

Answers may vary. Possible answers:

45. Ella preparará la comida.
46. Él cuidará el ganado.
47. Nosotros recogeremos la cosecha.
48. Yo regaré las plantas.

Exercise C

49. Por
50. para
51. por
52. por
53. por

Exercise D

Answers will vary. Possible answers:

54. En el corral hay cerdos.
55. Cepillo los caballos, manejo el tractor,...
56. Me acuesto temprano para ir a la escuela.
57. Para recoger la cosecha.
58. Sembraré trigo.
59. Hace dos años que trabajo en esta estancia.

Exercise E

Answers may vary. Possible answers:

60. Ellos montan a caballo.
61. El granjero cuida las ovejas.
62. La chica recoge la manzana.
63. El chico planta un árbol.

Part V Culture

64. Boleadoras
65. horses, cattle
66. bombachas
67. 19th
68. *El gaucho Martín Fierro.*

PART I

A. Read each sentence and write the letter of the picture it describes in the space provided.

a.

b.

c.

d.

e.

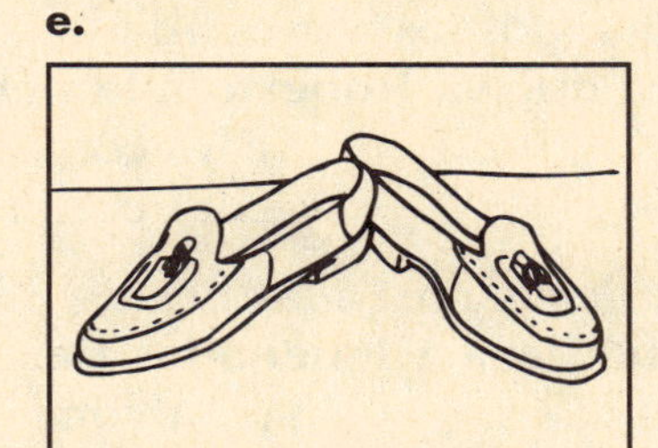

f.

g.

h.

i.

j.

__ **1.** Esa camisa de magna corta te queda pequeña.
__ **2.** Siempre uso mucha gomin.
__ **3.** Quiero un corte a navaja, por favor.
__ **4.** Me gustan los zapatos bajos para pasear.
__ **5.** ¡Qué bonita es la chica que tiene flequillo!
__ **6.** Hay que llevar un traje a la oficina.
__ **7.** Prefiero una camisa lisa.
__ **8.** Hay alguien en el probador
__ **9.** Esa mágina de afeitar no funciona.
__ **10.** Alberto nunca se afeita.

B. Read each paragraph and the question that follows. Circle the letter of the correct answer.

11. David trabaja en una peluquería. Dice que los jóvenes prefieren el corte a navaja. Pero a Luis le gusta el pelo de punta.
¿Qué corte de pelo prefieren los jóvenes?
a. el pelo rapado
b. el pelo con flequillo
c. el pelo de punta
d. el corte a navaja

12. Liliana se maquilla todos los días y Jorge se afeita cada dos días. **¿Qué hace Liliana?**
a. Se afeita todos los días.
b. No se corta el pelo nunca.
c. Se maquilla todos los días.
d. Se corta el pelo todos los días.

13. Roberto va a la peluquería todos los meses. Allí le cortan el pelo. Le gusta el pelo de punta y con laca. **¿Para qué va Roberto a la peluquería?**
a. para cortarse las uñas
b. para afeitarse
c. para comprar gomina
d. para cortarse el pelo

14. Miguel siempre lleva trajes elegantes a las fiestas, pero su hermano Manuel lleva chaquetas deportivas. **¿Qué lleva Miguel a las fiestas?**
a. trajes elegantes
b. vaqueros rotos
c. pantalones anchos
d. chaquetas deportivas

15. Las camisas a rayas están de moda este año pero a Pilar le gusta llevar camisas a cuadros. **¿Qué ropa está de moda este año?**
a. las camisas a rayas
b. las a cuadros
c. las botas de montaña
d. las chaquetas con cremallera

C. Read each sentence and the question that follows. Circle the letter of the most appropriate answer.

16. En la tienda de ropa *Primavera* hay un probador. ¿Para qué es?
a. para comprar ropa
b. para probarse la ropa
c. para maquillarse
d. para cortarse el pelo

17. Martín tiene una moto. ¿Qué tipo de botas usa?
a. rotas
b. de tacón
c. bajas
d. de motorista

18. Gabriela se pone un vestido. ¿Qué dice?
a. ¡Qué bien te sienta!
b. Te queda mal.
c. ¿Cómo me queda?
d. ¿Te gustaría comprarlo?

19. Alicia y Germán trabajan con tijeras, navajas y secadores. ¿Qué son?
a. Son meseros.
b. Son cocineros.
c. Son músicos.
d. Son peluqueros.

20. Daniel se pone una camisa blanca, un traje y una corbata. ¿Adónde va?
a. a una boda
b. a la piscina
c. a la cama
d. al establo

Part II Oral Proficiency

When students have finished the vocabulary and grammar sections in the chapter, they are ready to practice what they have learned. The role-playing activities in the *Situaciones* section provide them with this opportunity.

Situaciones

Part II of each Chapter Assessment evaluates the students' oral proficiency. This section may be administered before or after the written part of the test. Working in pairs, students will conduct a conversation entirely in Spanish. Assign one of the four suggested scenarios to each pair of students.

21. Two friends have just gotten their hair cut. They take turns giving each other a thorough critique. Then they give each other recommendations for the next hair cut.

22. Two students are discussing current fashion in their school. They take turns describing what it is and what they think of it.

23. Two companions are discussing what clothes to buy as a gift for a mutual friend. They come up with two or three possibilities and say why each might be appropriate or inappropriate.

24. Two friends are using a time machine to go back in time. They decide what period in time they want to visit, discuss what they are going to wear, and what they will do to their hair in order to "fit in."

Part III Reading

A Read the selection and the questions that follow. Circle the letter of the correct answer.

Gabriela y Gabriel son dos peluqueros famosos de Barcelona. Este año van a hacer los cortes de pelo para una colección de ropa. Ahora están en su peluquería "Pelos a la moda". Ellos están hablando de los cortes de pelo que van a hacer.

Gabriel: ¡Qué aburrida es la moda de este año: ropa de plástico y ropa rota! ¿Qué podemos hacer, Gabriela?

Gabriela: Podemos ofrecer ideas geniales para nuestros clientes. Por ejemplo: ¿qué corte le vas a hacer a la mujer que lleva una blusa sin mangas con pantalones a lunares?

Gabriel: Primero le hago un corte de pelo rapado. Después le dibujo lunares en el pelo con la navaja.

Gabriela: ¡Excelente diseño! Yo le voy a poner el pelo de punta al hombre que lleva el traje de plástico con cien cremalleras. Después le voy a pintar el pelo de color blanco.

Gabriel: Nuestros cortes van a ser un espejo de la ropa que se llevará.

25. ¿Qué son Gabriel y Gabriela?
- **a.** primos
- **b.** peluqueros
- **c.** meseros
- **d.** tíos

26. ¿Dónde están ahora?
- **a.** en Madrid
- **b.** en su casa
- **c.** en su peluquería
- **d.** en el probador

27. ¿Qué piensa Gabriel de la moda de este año?
- **a.** que es cómoda
- **b.** que es emocionante
- **c.** que es elegante
- **d.** que es aburrida

28. ¿Qué va a dibujar Gabriel con su navaja en el pelo de la mujer?
- **a.** cuadros
- **b.** lunares
- **c.** rayas
- **d.** flores

29. ¿Qué le va a hacer Gabriela al hombre que lleva el traje de plástico?
- **a.** un corte a navaja
- **b.** el pelo rapado
- **c.** un corte elegante
- **d.** el pelo de punta

B. Read the following incomplete sentences. Circle the word that best completes each sentence.

30. Los tenis son ______________.
(elegantes, deportivos, abiertos, limpios)

31. Para cortar las patillas, los peluqueros usan ______________.
(la gomina, la laca, la máquina de escribir, la máquina de afeitar)

32. Luisa se corta ______________ dos veces por mes.
(los pantalones, las botas, el secador, el flequillo)

33. Voy a probarme estos pantalones ajustados en el ______________.
(edificio, restaurante, probador, barco)

34. María siempre ______________ antes de ir a una fiesta de cumpleaños.
(se aburre, se acuesta, se sirve, se maquilla)

C. Read the following advertisement for a new clothing store. Circle the word that best completes each sentence.

¡Chicos y chicas! ¿Siempre les ______________**(35)** mal la ropa? ¿Los pantalones demasiado ______________**(36)** o demasiado ______________**(37)**? Vengan a la Boutique Tamayo. Si no tenemos su talla, les regalamos unas ______________**(38)** de motorista de última moda que ______________**(39)** deportivas y cómodas.

35. compra/corta/queda/prueba

36. anchos/cómodos/prácticos/bonitos

37. deliciosos/ajustados/abiertos/cerrados

38. navajas/rayas/bufandas/botas

39. están/son/usan/viven

Part IV Writing

A. Read the following passage. Fill in the blank spaces with the correct word, phrase, or verb form from below. Not all the words are used.

peluquero, probarse, aspecto, ser, varias veces, hacer, cortar, laca, estar, ropa

Me llamo Eva González y ______________ **(40)** actriz. Tengo que maquillarme ______________ **(41)** por día. Ahora ______________ **(42)** en la peluquería. Me ______________ **(43)** el pelo todas las semanas. También me ______________ **(44)** las uñas todos los días, porque yo tengo que cuidar mi ______________ **(45)**.

B. Read the following dialog between two friends in a shopping mall at the hair dresser's. In the spaces provided, write the demonstrative pronoun that corresponds to the underlined words.

Ana: Creo que me gusta ese corte de pelo.

Nico: ¿ ______________**(46)** con flequillo?

Ana: No, el corte que tiene aquella chica.

Nico: ¿Quién? ¿ ______________**(47)** rubia?

Ana: ¡No! La chica que lleva *aquellos* zapatos con plataforma.

Nico: ________________**(48)** son muy feos, ¿no?

Ana: No son tan feos como las botas que tengo en esta caja.

Nico: ¿En ________________**(49)**? ¿Las botas que te compré?

C. Complete each sentence using the correct form of *ser* or *estar.*

50. Marisa ________________ muy elegante hoy.

51. Ese corte de pelo ya no ________________ de moda.

52. Llevar el pelo de punta no ________________ muy cómodo.

53. Los pantalones a cuadros ________________ en rebaja.

54. El probador ________________ muy limpio.

55. ________________ caro cortarse el pelo en aquella peluquería.

56. Estos vaqueros ________________ rotos.

57. La laca ________________ encima de la mesa.

58. ¿Te gustan mis pantalones? ¡ ________________ muy elegantes!

59. No quiero esta camisa. ¡ ________________ muy cara!

D. Write a complete sentence in Spanish describing each picture.

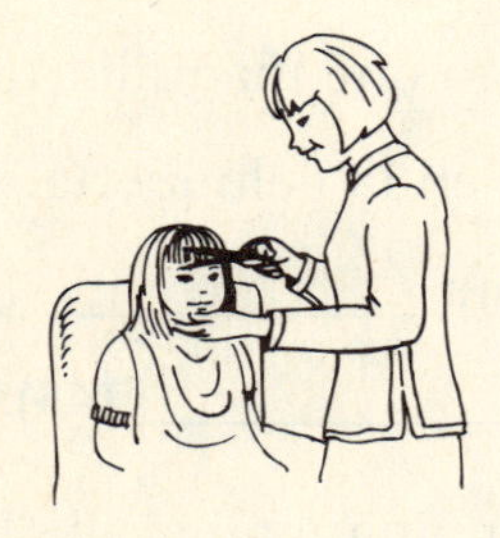

60. ______________________________
____

61 ______________________________
____

62. ______________________________

____

63. ______________________________

____

64 ______________________________

____

Part V Culture

Answer the following questions.

65. What products is Spain well known for designing?

____

66. Name one Spanish clothing designer?

____

67. What do Spanish teenagers usually wear?

COMPUTER TEST BANK ANSWERS

Part I

Exercise A

1. d
2. b
3. h
4. e
5. j
6. c
7. a
8. i
9. g
10. f

Exercise B

11. d
12. c
13. d
14. a
15. a

Exercise C

16. b
17. d
18. c
19. d
20. a

Part II Oral Proficiency

21-24 Student's responses will vary.

Part III Reading

Exercise A

25. b
26. c
27. d
28. b
29. d

Exercise B

30. deportivos
31. la máquina de afeitar
32. el flequillo
33. probador
34. se maquilla

Exercise C

35. queda
36. anchos
37. ajustados
38. botas
39. son

Part IV Writing

Exercise A

40. soy
41. varias veces
42. estoy
43. corto
44. hago
45. aspecto

Exercise B

46. Ése
47. Aquélla
48. Aquéllos
49. ésta

Exercise C

50. está
51. está
52. es
53. están
54. está
55. Es
56. están
57. está
58. Son
59. Es

Exercise D

Answers will vary.

Possible answers:

60. La peluquera le está cortando el flequillo a la chica.
61. Las botas de motorista están rotas.
62. El hombre se está cortando las uñas.
63. La chica lleva un vestido a lunares y unos zapatos de tacón.
64. Una chaqueta tiene cremallera y la otra tiene botones.

Part V Culture

Answers will vary.

Suggested answers:

65. Jewelry and clothing.

Possible answers:

66. Adolfo Dominguez, Jesús del Pozo, Pedro del Hierro, Purificación García, Sybilla, and Ágatha Ruiz de la Prada.

Possible answers.

67. They wear jeans, tee-shirts, jean jackets, sneakers, baseball caps, and other casual clothing.

CAPÍTULO 10 COMPUTER TEST BANK QUESTIONS

PART I

A. Read each sentence and write the letter of the picture it describes in the space provided.

a.

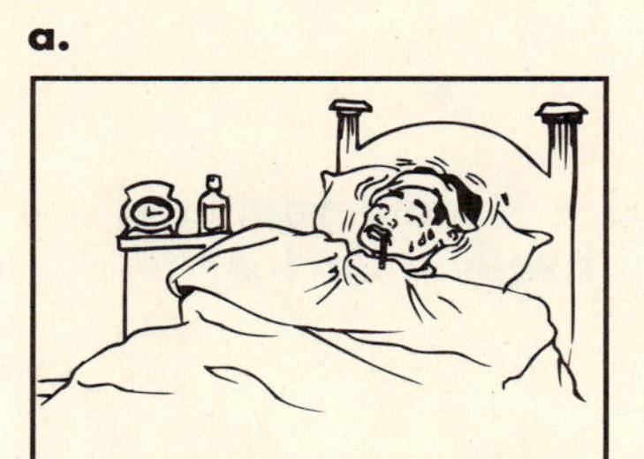

b.

c.

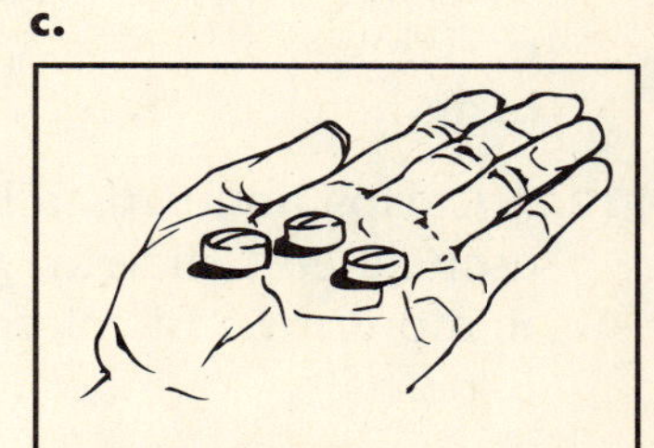

d.

e.

f.

g.

h.

i.

j.

__ **1.** Toma tres aspirinas.
__ **2.** No voy a ir a la escuela porque tengo fiebre.
__ **3.** ¿Cuántas flexiones puedes hacer?
__ **4.** Me duele la rodilla.
__ **5.** Las chicas se ponen en forma.
__ **6.** Marta hace cinta tres veces por semana.
__ **7.** José Luis prefiere hacer pesas.
__ **8.** Los hermanos Torres no hacen ejercicio.
__ **9.** Bárbara se alimenta bien.
__ **10.** Alberto está en forma.

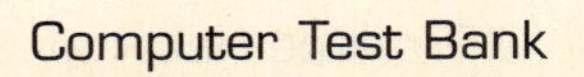

B. Read to each paragraph and the question that follows. Circle the letter of the correct answer.

11. "Me duele la cabeza, pero no tengo fiebre," dice Ana. "Tienes gripe," le dice el doctor. **¿Qué tiene Ana?**

a. fiebre **c.** gripe
b. agujetas **d.** catarro

12. A Carlos no le gusta hacer pesas. Pero hace aerobic y todos los días va a la escuela en bicicleta. **¿Qué tipo de ejercicio no le gusta hacer a Carlos?**

a. montar en bicicleta **c.** aerobic
b. pesas **d.** la escalera

13. Isabel es profesora de niños de primer grado. Como es invierno, hay muchos niños enfermos. Ahora Isabel tiene catarro. **¿Qué debe hacer Isabel?**

a. hacer flexiones **c.** tomar una bebida alcohólica
b. ir a casa y descansar **d.** cortarse el pelo

14. Tito no se siente bien. Hace ejercicio y se alimenta bien, pero sólo duerme seis horas por día. **¿Por qué no se siente bien Tito?**

a. Porque hace mucho ejercicio. **c.** Porque no se mantiene en forma.
b. Porque no se alimenta bien. **d.** Porque duerme poco.

15. Para mantener sano el corazón hay que hacer ejercicio, evitar las grasas y el estrés, y dormir ocho horas por día. **¿Qué hay que evitar para mantener sano el corazón?**

a. las aspirinas **c.** las grasas y el estrés
b. las grasas y el ejercicio **d.** dormir

C. Read each sentence and the question that follows. Circle the letter of the most appropriate answer.

16. Estás muy cansado. ¿Qué debes hacer?

a. alimentarme bien **c.** tomar aspirinas
b. descansar **d.** correr

17. Después de hacer cincuenta flexiones, ¿qué te duele?

a. los brazos **c.** la rodilla
b. la cabeza **d.** el estómago

18. Catalina quiere alimentarse mejor. ¿Qué comidas debe evitar?

a. la salud **c.** las frutas
b. las grasas **d.** el estrés

19. Eva no vino a la escuela ayer porque le dolía la cabeza. ¿Qué le dices cuando la ves?

a. Haz ejercicio. **c.** Ponte en forma.
b. Evita las grasas. **d.** ¿Cómo te sientes hoy?

20. Ayer hiciste ejercicio por primera vez en dos años. ¿Qué tienes hoy?

a. fiebre **c.** agujetas
b. gripe **d.** catarro

Part II Oral Proficiency

When students have finished the vocabulary and grammar sections in the chapter, they are ready to practice what they have learned. The role-playing activities in the *Situaciones* section provide them with this opportunity.

Situaciones

Part II of each Chapter Assessment evaluates the students' oral proficiency. This section may be administered before or after the written part of the test. Working in pairs, students will conduct a conversation entirely in Spanish. Assign one of the four suggested scenarios to each pair of students.

21. Two people working out in a gym are talking about their fitness plans. They ask and answer questions about what each of them wants to accomplish and what they plan to do to meet their goals.

22. Two classmates are talking about their eating habits. They ask and answer questions about what they each must do to improve their diet.

23. Two friends are talking about their sleeping habits. They ask each other how much sleep they need and how often they get it. When do they go to sleep and when do they wake up? They give each other advice on what *not* to do.

24. Two classmates talk with each other about the last time each of them got sick. They discuss how they felt and what they did to get well.

Part III Reading

A. Read the selection and the questions that follow. Circle the letter of the correctt answer.

Hace varias semanas que Alejandro no se siente bien. Él va al médico para saber qué le pasa.

Dr. Pérez: Buenos días, Alejandro. ¿Qué te duele?

Alejandro: Me duelen los músculos del cuello y de los hombros.

Dr. Pérez: ¿Estás haciendo mucho ejercicio?

Alejandro: No, señor. Nunca hago ejercicio. Y ahora no duermo bien. ¿Qué debo hacer?

Dr. Pérez: Si quieres sentirte mejor, haz ejercicio. ¿Te alimentas bien?

Alejandro: Pues como hamburguesas, pan con mantequilla, papas con mantequilla y sal. Y nunca como verduras.

Dr. Pérez: ¡Alejandro! No te alimentas bien.

25. ¿Qué le pregunta el doctor a Alejandro?
- **a.** ¿Tienes agujetas?
- **b.** ¿Qué te duele?
- **c.** ¿Te duelen los músculos?
- **d.** ¿Tienes hambre?

26. Alejandro dice: "Me duelen..."
- **a.** el cuello y el estómago.
- **b.** el cuello y las rodillas.
- **c.** las piernas y los hombros.
- **d.** los músculos del cuello y de los hombros.

27. ¿Qué tipo de ejercicio hace Alejandro?
- **a.** Hace flexiones.
- **b.** Monta en bicicleta.
- **c.** Hace cinta.
- **d.** No hace ejercicio.

28. ¿Qué le aconseja el doctor?
- **a.** Haz cinta y escalera.
- **b.** No duermas tanto.
- **c.** Haz ejercicio.
- **d.** No fumes ni bebas alcohol.

29. ¿Qué come Alejandro?
- **a.** cordero asado con mantequilla
- **b.** verduras con mantequilla
- **c.** papas hervidas
- **d.** papas con mantequilla

B. Circle the word or phrase that best completes each statement.

30. Cuando una persona siente calor en la cabeza, probablemente tiene _______________. (agujetas, grasa, fiebre, salud)

31. Para mantenerse sano, es necesario no _______________.
(hacer ejercicio, alimentarse bien, evitar el estrés, fumar)

32. Ayer Felipe hizo aerobic por dos horas. Hoy tiene _______________.
(agujetas, catarro, gripe, estrés)

33. Me duele la cabeza. Deme dos _______________, por favor.
(cabezas, pesas, cintas, aspirinas)

34. ¿Debo ir al _______________ para ponerme en forma?
(comedor, gimnasio, metro, supermercado)

C. Celia is always giving advice to her friends. Read each sentence and circle the verb form that correctly completes each negative *tú* command.

35. No _______________ tantos huevos, Pablo.
(come, comes, comas)

36. No _______________ en el pasillo, Carlitos.
(corre, corres, corras)

37. No _______________ aerobic en mi dormitorio, Azucena.
(haga, hagas, haces)

38. No _______________ más sal a las empanadas, Eva.
(pongas, pones, pon).

39. No _______________ al cine. Tienes mucha tarea.
(vas, vayas, ve)

Part IV Writing

A. Read the following passage. Complete each blank space with the appropriate form of a verb from below.

dormir, comer, evitar, descansar, sentirse, hacer, cuidar, mantenerse

Ahora me _______________ **(40)** bien. Antes comía muchas grasas y sal pero ahora las _______________ **(41).** Ahora _______________ **(42)** muchas frutas y verduras. Antes miraba la televisión todo el día. Ahora _______________ **(43)** aerobic y pesas cinco veces por semana. Yo pienso que hay que _______________ **(44)** la salud y _______________ **(45)** en forma.

B. Read the following questions and answers from a newspaper advice column. Note the underlined verb in each question. To complete each answer, write the negative *tú* command form of that verb in each blank space.

46. Pregunta: ¿Puedo <u>tomar</u> café antes de acostarme?

Respuesta: No, no _______________ café antes de acostarte.

47. Pregunta: ¿Puedo <u>hacer</u> ejercicio quince minutos después de comer?

Respuesta: No, no _______________ ejercicio quince minutos después de comer. Haz ejercicio una hora después.

48. Pregunta: Me duele la garganta. ¿Puedo <u>ir</u> a esquiar este fin de semana?

Respuesta: No, no _______________ a esquiar si te duele la garganta.

49. Pregunta: ¿Qué no debo comer si quiero alimentarme bien?

Respuesta: No ________________ muchas grasas ni muchos dulces.

50. Pregunta: Cuando tengo agujetas, ¿debo evitar ir al gimnasio?

Respuesta: No, no ________________ ir al gimnasio. Si no haces ejercicio, vas a tener más agujetas después.

C. Complete the following sentences with affirmative and negative *tú* commands.

51. Si te duele el estómago, no ________________________________.

52. Para evitar el estrés, ________________________________.

53. Si quieres alimentarte bien, no ________________________________.

54. Para mantenerte en forma, ________________________________.

55. Si tienes gripe, ________________________________.

56. Si te duele la garganta, no ________________________________.

57. Si tienes agujetas, no ________________________________.

58. Para sentirte bien, ________________________________.

D. **(10 points)** Look at the drawings below. Write a complete sentence describing each picture.

59. ______________________________

____

60. ______________________________

____

61. ______________________________

____

62. ______________________________

____

63. ______________________________

____

Part V Culture

Answer the following questions about the *CAR* sports center.

64. What kind of athletes train at the *CAR*?

____

65. For what sports does *CAR* provide facilities? Name at least three.

____

66. What does the acronym *CAR* stand for in Spanish?

____

CAPÍTULO 10 COMPUTER TEST BANK ANSWERS

Part I
Exercise A

1. c
2. a
3. i
4. j
5. b
6. f
7 d
8. h
9. e
10. g

Exercise B

11. c
12. b
13. b
14. d
15. c

Exercise C

16. b
17. a
18. b
19. d
20. c

Part II Oral Proficiency
21-24 Students responses will vary.

Part III Reading
Exercise A

25. b
26. d
27. d
28. c
29. d

Exercise B

30. fiebre
31. fumar
32. agujetas
33. aspirinas
34. gimnasio

Exercise C

35. comas
36. corras
37. hagas
38. pongas
39. vayas

Part IV Writing
Exercise A

40. siento
41. evito
42. como
43. hago
44. cuidar
45. mantenerse

Exercise B

46. tomes
47. hagas
48. vayas
49. comas
50. evites

Exercise C

Answers will vary. Possible answers:

51. comas dulces.
52. descansa bien.
53. comas muchas grasas.
54. haz cinta.
55. no vayas a la escuela.
56. tomes bebidas frias.
57. hagas ejercicio.
58. haz aerobic.

Exercise D

Answers will vary. Possible answers:

59. El chico tiene fiebre.
60. La chica tiene mucho estrés.
61. La chica pone sal al huevo.
62. El chico hace flexiones.
63. La chica se alimenta bien.

Part V Culture

64. The best, young athletes.
65. Tennis, gymanastics, basketball, swimming, volleyball, and tae-Kwando.S.
66. *Centro de Alto Rendimiento*

CAPÍTULO 11 COMPUTER TEST BANK QUESTIONS

PART I

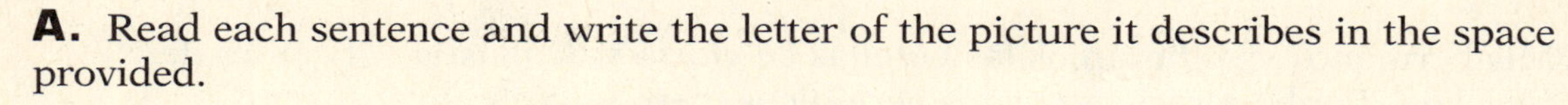

A. Read each sentence and write the letter of the picture it describes in the space provided.

a.

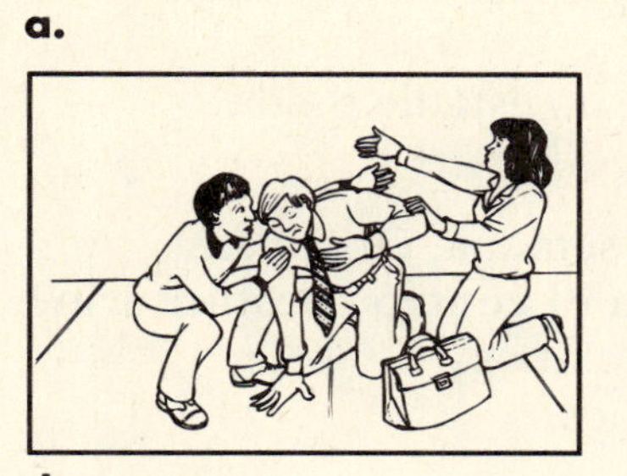

b.

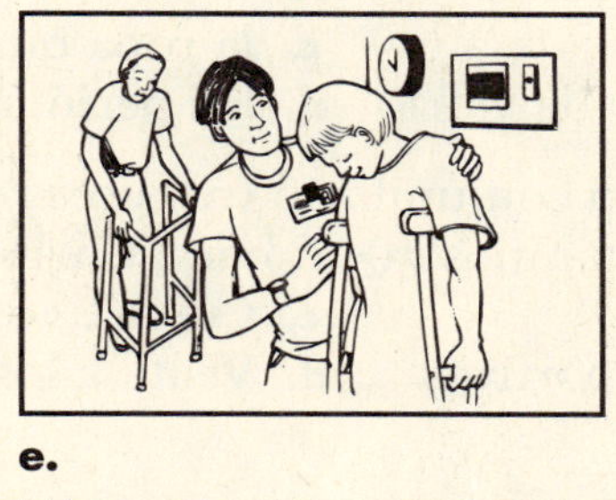

c.

d.

e.

f.

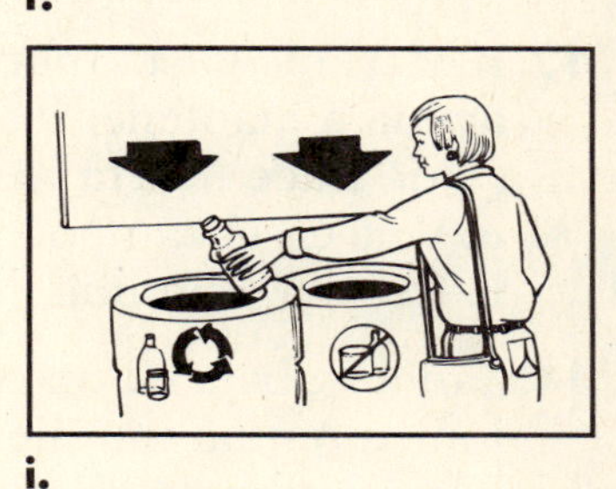

g.

h.

i.

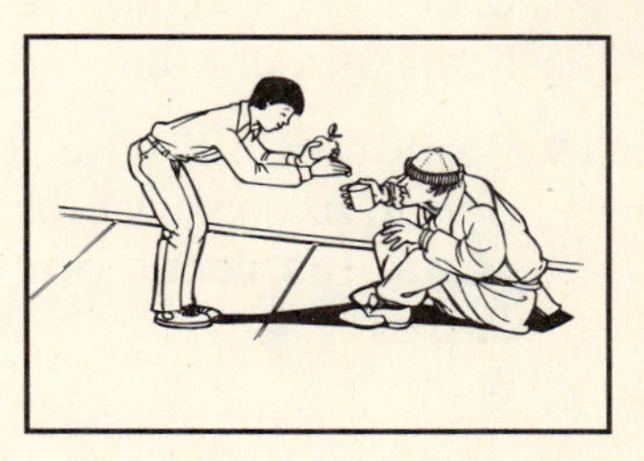

j.

__ **1.** Tomás pinta un mural.
__ **2.** Es un contenedor de vidrio.
__ **3.** El hombre necesita atención médica.
__ **4.** María trabaja con ancianos.
__ **5.** José reparte donativos a la gente sin hogar.
__ **6.** El señor Lozano entrena un equipo de fútbol.
__ **7.** María enseña cerámica.
__ **8.** Lidia lleva los periódicos viejos al centro de reciclaje.
__ **9.** Belinda trabaja en una guardería.
__ **10.** Alberto atiende a los enfermos.

COMPUTER TEST BANK QUESTIONS

B. Read each paragraph and the question that follows. Circle the letter of the correct answer.

11. Mis hermanos y yo llevamos las botellas de vidrio y de plástico al centro de reciclaje. También reciclamos los periódicos, pero los voluntarios vienen a buscarlos a casa. **¿Qué llevan al centro de reciclaje?**
a. el aluminio
b. las botellas de plástico y de vidrio
c. la ropa que ya no está de moda
d. los periódicos

12. Carlos trabaja en un centro comunitario tres veces por semana. Organiza actividades deportivas para niños.**¿Qué hace Carlos en el centro comunitario?**
a. No hace nada.
b. Organiza actividades deportivas para niños.
c. Cuida a los ancianos.
d. Visita a los niños.

13. A Marta le gusta mucho el campo pero vive en la ciudad. Los fines de semana ayuda a mantener las zonas verdes de la ciudad con un grupo de voluntarios. **¿Qué hace Marta los fines de semana?**
a. Vive en el campo.
b. Recicla aluminio.
c. Enseña pintura.
d. Ayuda a mantener las zonas verdes.

14. Tania trabaja en un centro recreativo. Enseña pintura a los niños. A veces todos juntos pintan murales en las calles del vecindario. **¿Dónde trabaja Tania?**
a. en un centro de reciclaje
b. en una clínica
c. en un centro de jubilados
d. en un centro recreativo

15. Ramón es bilingüe. Tres veces por semana trabaja de voluntario en una clínica, donde hace servicios de traducción. Le ayuda a sentirse útil a la comunidad. **¿Cuántas veces por semana trabaja Ramón en la clínica?**
a. tres
b. cinco
c. ninguna
d. muchas

C. Read each question. Circle the letter of the most appropiate answer.

16. Tomaste un refresco. ¿Qué es importante que hagas con la botella de vidrio?
a. que la recicles
b. que la compres
c. que la tires al suelo
d. que la rompas

17. José enseña baile a los niños en un centro recreativo. ¿A quién enseña baile?
a. a los ancianos
b. a los niños
c. a los adolescentes
d. a los enfermos

18. Queremos mejorar nuestro vecindario. ¿Qué tenemos que hacer?
a. Hagamos pintadas.
b. Trabajemos de voluntarios.
c. Hagamos ruido.
d. Es necesario que lleguemos a tiempo.

19. La calle delante de la residencia de ancianos es muy peligrosa. Los coches van muy rápido. ¿Qué se necesita?
a. un semáforo
b. un mural
c. menos contaminación
d. una zona verde

20. Juan Ruiz ya no trabaja. Vive en una residencia de ancianos. ¿Qué es Juan Ruiz?
a. un adolescente
b. un voluntario
c. un jubilado
d. un joven

Part II Oral Proficiency

When students have finished the vocabulary and grammar sections in the chapter, they are ready to practice what they have learned. The role-playing activities in the *Situaciones* section provide them with this opportunity.

Situaciones

Part II of each Chapter Assessment evaluates the students' oral proficiency. This section may be administered before or after the written part of the test. Working in pairs, students will conduct a conversation entirely in Spanish. Assign one of the four suggested scenarios to each pair of students.

21. Two friends are trying to think of what to do during vacation. They take turns suggesting activities with the *nosotros* command form while the other person responds favorably or with an alternative.

22. Two volunteers at a community center are talking about what they do, what they like about the work, and what they likes about the center.

23. Two concerned citizens are making plans to set up a center in their community to fill some pressing need. They talk about why it's important, what service(s) it will offer, who will work or volunteer there, and what they will do to publicize it.

24. Two friends are going to paint a mural. They discuss what the mural will show, where they will paint it, who will assist them, and what they want the mural to do for the community.

Part III Reading

A. Read the selection. Circle the letter of the correct answer.

Lino y Andrea van a pintar un mural en la residencia de ancianos de su vecindario. Van a la residencia y hablan con uno de los ancianos, el señor Serra.

Señor Serra: Tenemos mucha suerte de tener dos adolescentes que nos van a pintar un mural en la residencia. No sé pintar, pero me gustaría ayudarles.

Lino: Sí, por supuesto. No es necesario que pinte, puede hacer otras cosas. Y si quiere aprender, vamos a dar una clase de pintura todas las mañanas.

Señor Serra: ¡Qué bien! ¿Cuál va a ser el tema del mural?

Andrea: Queremos hacerlo sobre las vidas de los que viven en la residencia. Después de la clase, queremos hacerles, una entrevista a usted y a otros jubilados. Es importante que nos cuenten sus recuerdos y nos den muchas ideas.

Señor Serra: ¡Qué buena idea! Les podemos contar muchas cosas de cómo era la vida cuando nosotros eramos jóvenes. No teníamos televisión, ni videojuegos,... Mis padres no tenían coche. Yo iba a la escuela en bicicleta todos los días.

Lino: Estamos muy contentos de trabajar con ustedes. Es importante que nosotros, los jóvenes, aprendamos de gente con más experiencia.

25. ¿Qué van a hacer Lino y Andrea en la residencia de ancianos?
a. enseñar cerámica
b. hacer pintadas
c. vivir en la residencia
d. pintar un mural

26. ¿Puede ayudarles el señor Serra?
a. No, porque no sabe pintar.
b. No, porque quieren trabajar solos.
c. Sí. Tiene que enseñar a pintar.
d. Sí, y si quiere, puede aprender a pintar también.

27. ¿Cuál va a ser el tema del mural?
a. el edificio de la residencia
b. las vidas de los ancianos
c. la televisión y los videojuegos
d. los medios de transporte

28. ¿Por qué quieren hacer una entrevista a los jubilados?
a. Porque son famosos.
b. Porque Andrea y Lino son periodistas.
c. Porque es necesario que les den ideas.
d. Porque van a darles una clase de pintura.

29. Según Lino, ¿qué es importante que hagan los jóvenes?
a. que pinten un mural
b. que reciclen
c. que aprendan de los jubilados
d. que cuenten sus recuerdos

B. Read the sentences and questions that follow. Circle the word or phrase that best completes each statement.

30. Una persona enferma necesita _______________.
(aprender cerámica, menos violencia, atención médica, más basureros)

31. Cuando los padres trabajan, llevan a sus hijos pequeños a ________________.
(una guardería, una clínica, un centro recreativo, un centro de jubilados)

32. Ester es ________________ y ofrece servicios de traducción.
(jubilado, médica, ciudadana, bilingüe)

33. Es importante que mantengamos las ________________ de nuestras ciudades.
(contenedores, centro comunitario, clínica, zonas verdes)

34. En el vecindario La Pera hay un centro de reciclaje de vidrio, pero se necesitan

________________ para tirar el papel.
(semáforos, centros deportivos, contenedores, hospitales)

C. Read the following incomplete dialog between two teens that work at the same community center. Circle the word or phrase that best completes each sentence.

Pilar: ¡Teresa! Yo pensé que todavía trabajabas en la ________________ **(35)** atendiendo a los enfermos.

Teresa: Sí, por las mañanas todavía trabajo allí, pero por las tardes enseño ________________ **(36)** a los niños aquí. ¿Y tú? ¿Qué haces?

Pilar: Yo hago servicios de ________________ **(37)**. También ayudo a repartir ________________ **(38)** a la gente sin hogar.

Teresa: ¡Qué bien! Este fin de semana unos amigos y yo vamos a limpiar las calles del vecindario. ¿Quieres venir?

Pilar: Sí, es muy importante que ________________**(39)** las calles y las zonas verdes limpias.

35. guardería/clínica/centro de reciclaje

36. baile/aluminio/servicio

37. basureros/niños/traducción

38. vidrio/donativos/actividad deportiva

39. reciclemos/pintemos/mantengamos

Part IV Writing

A. Sra. Galván's class is getting ready to do a day of community service. Read the following passages and fill in the blanks with the *nosotros* command form of the underlined verb. Include the object pronoun or reflexive pronoun if necessary.

Julio: ¿Llevamos bolsas para los basureros?

Roberto: Sí, ________________**(40)** muchas bolsas.

Dalia: Debemos repartir comida a los enfermos pronto.

Sra. Galván: Muy bien, _______________ **(41)** la comida ahora.

Toni: ¿Pedimos ayuda a otros voluntarios?

Sra. Galván: Sí, _______________ **(42)**.

Sara: Tenemos que hacer un cartel.

Julia: _______________ **(43)** entre todos.

Paula: ¿Quiere ir con nosotros a la guardería?

Sra. Galván: _______________ **(44)** todos a la guardería.

Rubén: ¿Qué tipo de actividades podemos organizar?

Soledad: _______________**(45)** actividades culturales.

B. Complete each statement using the present subjunctive form of the verb in parentheses.

46. Lucia: Si quieres trabajar de voluntario es necesario que (ser) _______________ bilingüe, ¿no?

Teo: No, pero es mejor que (hablar) _______________ un poco de español.

47. Laura: Es increíble que mi hijo no me (escribir) _______________ nunca.

Anabel: Es mejor que te (mandar) _______________ una carta por correo electrónico.

48. Leo: Es importante que todos nosotros (cuidar) _______________ el vecindario.

Asun: Es necesario que la gente (usar) _______________ los basureros.

49. Tania: Es increíble que mucha gente sin hogar no (tener) _______________ nada para comer.

Susana: Es importante que los voluntarios les (repartir) _______________ comida caliente.

50. Amanda: ¡Es increíble que muchos enfermos no (tener) _______________ atención médica buena.

Bernardo: Es necesario que (haber) _______________ más hospitales.

C. Answer the following questions in complete sentences.

51. ¿Qué se necesita en tu vecindario?

____

52. ¿Qué es lo que más te gusta de tu vecindario?

____

53. ¿Qué es lo que menos te gusta de tu vecindario?

____

54. ¿Qué puedes hacer para ayudar a tu vecindario o comunidad? Escribe dos cosas.

____

55. ¿Qué es importante que hagamos para proteger el medio ambiente?

____

56. ¿Qué es importante que hagamos para ser buenos ciudadanos?

____

Part V Culture

Answer the following questions.

57. Where is the Nuyorican Poet's Café?

____

58. Why is this cafe famous?

____

59. What are two things that poets do there?

____

11 COMPUTER TEST BANK ANSWERS

Part I
Exercise A

1. d
2. f
3. a
4. j
5. i
6. h
7. g
8. e
9. c
10. b

Exercise B

11. b
12. b
13. d
14. d
15. a

Exercise C

16. a
17. b
18. b
19. a
20. c

Part II Oral Proficiency

21-24 Students' responses will vary.

Part III Reading
Exercise A

25. d
26. d
27. b
28. c
29. c

Exercise B

30. atención médica
31. una guardería
32. bilingüe
33. zonas verdes
34. contenedores

Exercise C

35. clínica
36. baile
37. traducción
38. donativos
39. mantengamos

Part IV Writing
Exercise A

40. llevemos
41. repartamos
42. pidámosla
43. Hagámoslo
44. Vayamos
45. Organicemos

Exercise B

46. seas, hables
47. escriba, mande
48. cuidemos, use
49. tenga, repartan
50. tengan, haya

Exercise C

51-56 Answers will vary.

Part V Culture

57. In Manhattan, New York.
58. Poets and writers from all over the world go there.
59. They share ideas and discuss literature.

CAPÍTULO 12 COMPUTER TEST BANK QUESTIONS

PART I

A. Read each sentence and write the letter of the picture it describes in the space provided.

a.

b.

c.

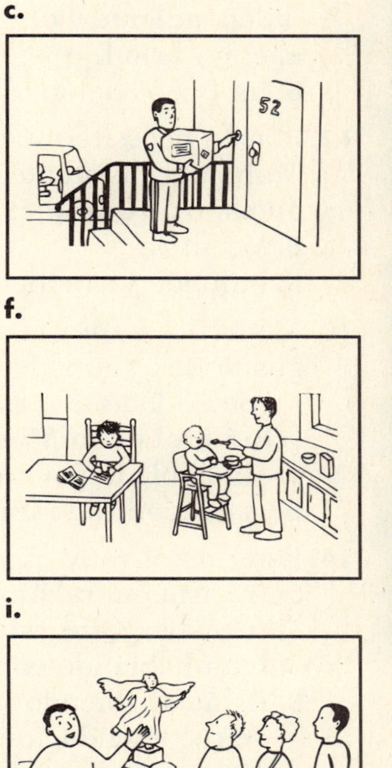

d.

e.

f.

g.

h.

i.

j.

___ **1.** Arturo es guía de turismo.
___ **2.** Gabriela trabaja de cajera en un supermercado.
___ **3.** El señor Herrero es conductor.
___ **4.** A Leonardo le gusta mucho ser maestro.
___ **5.** Silvia es entrenadora de baloncesto en un campamento de verano.
___ **6.** Durante los fines de semana Roberto trabaja de niñero.
___ **7.** El hijo de Elvira es muy creativo.
___ **8.** Emilio es repartidor.
___ **9.** En su tiempo libre Claudia lee en el parque.
___ **10.** Elena es asistente social.

COMPUTER TEST BANK QUESTIONS

B. Listen to each paragraph and the question that follows. Circle the letter of the correct answer.

11. Pedro está buscando trabajo. Para él, un buen sueldo es muy importante. Le gusta viajar a otros países en su tiempo libre. Pedro es una persona independiente y organizada. **¿Qué es importante para Pedro?**
a. el horario fijo
b. un buen sueldo
c. el futuro
d. la variedad

12. Marilú necesita mucha variedad en su empleo. Es independiente y muy creativa. Trabaja de asistente social y por las noches enseña pintura en una residencia de ancianos. **¿Cómo es Marilú?**
a. ejecutiva
b. bilingüe y práctica
c. honesta y paciente
d. independiente y muy creativa

13. Mauricio es muy comunicativo. Habla tres idiomas y le gusta mucho viajar. Le gustaría ser guía de turismo. Esta mañana ha hablado con una consejera y le ha recomendado que escriba su currículum.
¿Qué ha hecho Mauricio esta mañana?
a. Ha hablado con una consejera.
b. Ha encontrado un empleo.
c. Ha aprendido tres idiomas.
d. Ha viajado a Perú.

14. Ester no es muy organizada. Está buscando un empleo de verano. Ayer tuvo una entrevista de trabajo, pero estaba muy nerviosa y no llevó su currículum a la entrevista. **¿Qué está haciendo Ester?**
a. Está hablando con un consejero.
b. Está escribiendo una carta de recomendación.
c. Está trabajando en un campamento.
d. Está buscando un empleo de verano.

15. Ana quiere ser intérprete. Habla inglés y español, pero su consejero le recomienda que aprenda otro idioma. Quiere empezar a aprender francés.
¿Qué le recomienda el consejero a Ana?
a. que aprenda otro idioma
b. que hable francés en la entrevista
c. que sea ambiciosa
d. que sea paciente

C. Read each question. Circle the letter of the most appropiate answer.

16. Eduardo es bilingüe, ambicioso y comunicativo. ¿Qué le recomienda el consejero?
a. que sea conductor
b. que sea entrenador
c. que sea intérprete
d. que sea niñero

17. Ricardo es conductor. ¿Qué ha hecho en el trabajo hoy?
a. Ha escrito varias cartas.
b. Ha manejado.
c. Ha aprendido español.
d. Ha tenido una entrevista.

18. El Sr. Vega busca un traductor. ¿Qué les pide a los candidatos?
a. que manejen
b. que canten bien
c. que sepan idiomas
d. que trabajen al aire libre

19. Miguel es de Nueva York. Habla inglés y español. ¿Qué es Miguel?
- **a.** bilingüe
- **b.** gerente
- **c.** recepcionista
- **d.** organizado

20. Mari Carmen tiene una hija pequeña. No puede llegar al trabajo a la misma hora todos los días. ¿Qué valora en un empleo?
- **a.** el prestigio
- **b.** el horario fijo
- **c.** el horario flexible
- **d.** la variedad

Part II Oral Proficiency

When students have finished the vocabulary and grammar sections in the chapter, they are ready to practice what they have learned. The role-playing activities in the *Situaciones* section provide them with this opportunity.

Situaciones

Part II of each Chapter Assessment evaluates the students' oral proficiency. This section may be administered before or after the written parts of the test. Working in pairs, students will conduct a conversation entirely in Spanish. Assign one of the four suggested scenarios to each pair of students.

21. Two teenagers are talking about what traits they value in a friend. If people had to fill out a resumé to be their friend, what kinds of things would they want to see on it? They discuss the qualities and experiences that they admire.

22. Two students discuss what "discipline" means to them. What does it mean in sports? academics? personal interactions? They talk about different ways in which one can be disciplined, and what the benefits of self-discipline are.

23. The head of personnel at a company is interviewing an applicant for a job. The interviewer explains what the job is and asks questions about the applicant's experience and qualifications.

24. Two workers who are now retired are talking about the different jobs they had when they were younger. They ask and answer questions about what they valued about their jobs and what they didn't like about them.

Part III Reading

A. Read the dialog and the questions that follow. Circle the letter of the correct answer.

Raquel terminó la escuela y habla con Eduardo sobre qué va a hacer con su vida.

Raquel: Tengo que encontrar un empleo, pero no sé qué quiero ser. Hablo inglés y español y también un poco de alemán.

Eduardo: ¿No quieres ser maestra?

Raquel: No sé... No soy muy paciente. Trabajar con niños no es para mí. Prefiero un empleo con un horario más flexible. Me gusta tener mucho tiempo libre y viajar.

Eduardo: ¿Has pensado en ser guía de turismo?

Raquel: Es verdad. Soy muy comunicativa y con ese empleo tienes oportunidades de viajar y conocer gente.

Eduardo: Entonces te recomiendo que empieces a escribir tu currículum y que lo mandes a varias oficinas de turismo.

25. ¿Qué aptitudes personales tiene Raquel?
- **a.** Es creativa.
- **b.** Es paciente.
- **c.** Es comunicativa y bilingüe.
- **d.** Es emprendedora y honesta.

26. ¿Qué condiciones de trabajo valora Raquel?
- **a.** la variedad
- **b.** un horario flexible
- **c.** la estabilidad
- **d.** un buen sueldo

27. ¿Qué empleo va a buscar Raquel?
- **a.** recepcionista
- **b.** maestra
- **c.** cajera
- **d.** guía de turismo

28. ¿Por qué no quiere ser maestra?
- **a.** Porque quiere ser niñera.
- **b.** Porque no le gustan los niños.
- **c.** Porque no es muy paciente.
- **d.** Porque quiere un horario fijo.

29. ¿Qué le recomienda Eduardo?
- **a.** que escriba su currículum
- **b.** que aprenda otro idioma
- **c.** que sea más ambiciosa
- **d.** que empiece a escribir una novela

B. Circle the word that best completes each sentence.

30. Si busca trabajo, le recomiendo que mande _______________ con su currículum.
(un cartel, una novela, una carta de recomendación, un sueldo)

31. Si quieres ser artista, tienes que ser _______________.
(ambicioso, creativo, organizado, jubilado)

32. Pancho valora más la estabilidad que la aventura. Le gustaría ser _______________.
(cantante, artista, maestro, escritor)

33. Si no sabes qué quieres hacer, te recomiendo que hables con un _______________.
(recepcionista, conductor, consejero, repartidor)

34. Buenos días. ¿Busca Ud. un empleo aquí? ¿Tiene su _______________?
(aptitud, condición, oportunidad, currículum)

C. Read the following dialog between an interviewer and a job candidate. Circle the word or phrase that best completes each sentence.

Sra. Lara: Sr. Sanz, ¿ha _______________ **(35)** su currículum?

Sr. Sanz: Sí. También _______________ **(36)** traído unas cartas de recomendación.

Sra. Lara: ¿Tiene experiencia como asistente social?

Sr. Sanz: No, pero soy buen _______________ **(37)**.

Sra. Lara: ¿Qué _______________ **(38)** más en un trabajo?

Sr. Sanz: La estabilidad y el horario _______________ **(39)**.

Sra. Lara: Su currículum es muy bueno. ¡Felicidades, empieza usted mañana!

35. valorado/comido/traído

36. has/he/hemos

37. divertido/comunicativo/consejero

38. recomienda/dice/valora

39. fijo/prestigio/futuro

Part IV Writing

A. Many conversations are going on at once in the career center. Complete the following dialogs by filling in each blank with the correct form of the verb *haber* and the past participle of the appropriate verb from below.

repartir, ir, escribir, hacer, ser

40. Consejero: ¿ _______________ tu currículum, Julio?
Julio: No, todavía no.

41. Srta. Canedo: ¿Tienen Uds. alguna experiencia?

Felicia: Sí, mi hermana y yo _______________ niñeras para la familia López.

42. Consejera: Manolo, quieres ser periodista, ¿verdad?

Manolo: Sí, y tengo experiencia. ¡_______________ periódicos en mi vecindario!

43. Paula: ¿Ya has buscado trabajo, Pablo?

Pablo: Sí, Paula. Hoy ________________ a tres supermercados a preguntar si tenían empleo de cajero.

44. Adela: Y tú, ¿qué ________________ hoy?

Miguel: ¡He encontrado un empleo en una guardería!

B. Carlitos is always giving advice. Complete each of his statements using the correct subjunctive form of the verb in parentheses.

45. Si no tienes mucha hambre, te recomiendo que (compartir) ________________ el postre con tu hermana.

46. Pablo, le recomiendo que (pensar) ________________ en el futuro.

47. Les recomiendo que no (comer) ________________ en ese restaurante.

48. Porque eres mi amiga, te recomiendo que (buscar) ________________ otro novio.

49. Amigos, recomiendo que todos nosotros (ser) ________________ más pacientes.

C. Javier wants to apply for a job as a Spanish teacher at a school. Look at his resumé and answer the following questions.

Currículum
Javier Fuentes

Idiomas: inglés, alemán y francés

Experiencia	
1995-1996	Centro comunitario "Estima" -servicios de interpretación y traducción
verano 1995	Campamento de verano "La Ola" -entrenador de voleibol para niños
1993-1994	Centro comunitario "Andrada" -trabajo de voluntario con niños -organización de actividades culturales
Aficiones:	viajar, leer, hacer deporte
Aptitudes personales	Me interesa la variedad y el horario fijo. Sé manejar un coche. Computadora: PC, Word for Windows™

50. ¿Qué experiencia de trabajo tiene Javier con niños?

____

51. ¿Qué hizo Javier en 1995-1996?

____

52. ¿Qué le gusta hacer a Javier?

____

53. Según su currículum, ¿qué sabe hacer?

____

D. Answer the following questions in complete sentences.

54. ¿Qué trabajo crees que va bien con tus aptitudes? ¿Por qué?

____

____

55. ¿Qué prefieres, la independencia o la estabilidad? ¿Por qué?

____

____

56. ¿Cuál crees que es tu mejor aptitud personal? ¿Por qué?

____

____

Part V Culture

Answer the following questions.

57. What percentage of American high school and college students study Spanish?

____

58. Of what orgin are the Hispanics living in the United States? Name three.

____

59. What are some practical advantages of speaking Spanish?

____

CAPÍTULO 12 COMPUTER TEST BANK ANSWERS

Part I

Exercise A

1. i
2. b
3. j
4. h
5. a
6. f
7. g
8. c
9. d
10. e

Exercise B

11. b
12. d
13. a
14. d
15. a

Exercise C

16. c
17. b
18. c
19. a
20. c

Part II Oral Proficiency

21-24 Students' responses will vary.

Part III Reading

Exercise A

25. c
26. b
27. d
28. c
29. a

Exercise B

30. una carta de recomendación
31. creativo
32. maestro
33. consejero
34. currículum

Exercise C

35. traído
36. he
37. consejero
38. valora
39. fijo

Part IV Writing

Exercise A

40. Has escrito
41. hemos sido
42. He repartido
43. he ido
44. has hecho

Exercise B

45. compartas
46. piense
47. coman
48. busques
49. seamos

Exercise C

Answers may vary. Possible answers:

50. Ha trabajado en el centro comunitario "Andrada" y en el campamento de verano "La Ola."

51. Trabajó en el centro comunitario "Estima."

52. Le gusta viajar, leer y hacer deporte. En el trabajo le gusta la variedad y el horario fijo.

53. Sabe hablar tres idiomas. También sabe manejar un coche y usar la computadora.

Exercise D

54-56 Answers will vary.

Part V Culture

57. More than 60%.

58. Puerto Rican, Dominican, Mexican, Cuban . . .

59. Over 300 million people in the world speak Spanish and by the year 2010 Hispanics will be the largest minority group in the U.S. Also, advantages in the job market.